Kurt Sontheimer

Thomas Mann und die Deutschen

Kurt Sontheimer

Thomas Mann und die Deutschen

Langen Müller

Besuchen Sie uns im Internet unter:
http://www.herbig.net

Überarbeitete Neuauflage
des 1961 bei der Nymphenburger Verlagshandlung erschienenen Titels

© 2002 Langen Müller
in der F.A. Herbig Verlagsbuchhandlung GmbH, München
Alle Rechte vorbehalten
Schutzumschlag: Wolfgang Heinzel
Umschlagbild: Archiv für Kunst und Geschichte, Berlin
Herstellung und Satz: VerlagsService Dr. Helmut Neuberger
& Karl Schaumann GmbH, Heimstetten
Gesetzt aus der 11/13,7 Punkt Minion
Druck: Jos. C. Huber KG, Dießen
Binden: R. Oldenbourg, Heimstetten
Printed in Germany
ISBN 3-7844-2861-4

Inhalt

Teil I
Erkundung
(1914–1920)

Teil II
Erprobung
(1920–1933)

Teil III
Bewährung
(1933–1945)

Teil IV
Entmutigung
(1945–1955)

Teil V
Würdigung

Zur Neuauflage 2002

Dieses Buch ist 1961, also vor gut vierzig Jahren, in der Nymphenburger Verlagshandlung erschienen. Es war mein erstes Buch, auf das ich als frisch gebackener Autor auch ein wenig stolz war – und blieb mein mir liebstes –, obwohl dieser erste Versuch einer zusammenfassenden Darstellung des Weges von Thomas Mann als politischer Schriftsteller die literarische und politische Öffentlichkeit der Bundesrepublik damals nur am Rande interessierte. Erfreulicherweise kam es noch zu einer Taschenbuchausgabe, die 1965 in der Fischer-Bücherei erschien.

Wenn man davon absieht, daß hie und da in der Folge Gelegenheit für mich war, den politischen Thomas Mann in einigen Aufsätzen vorzustellen, schien diese Seite seines Werkes, die zu seinen Lebzeiten so viel Aufsehen und Erregung hervorgerufen hatte, obsolet, unzeitgemäß geworden. Auch die akademische Zunft der Germanisten konnte ihr wenig abgewinnen; sie glaubte, mit der Analyse und Interpretation seines literarischen Werks genug und Wichtigeres zu tun zu haben. Erst nach und nach fanden einige unter ihnen zu der Erkenntnis, daß man dem Werk und der Persönlichkeit Thomas Manns nicht gerecht werden kann, wenn man seiner Rolle und Eigenart als politischer Schriftsteller keine Beachtung schenkt. Heute, wo kaum mehr daran gezweifelt wird, daß Thomas Mann der größte, international bekannteste deutsche Schriftsteller des 20. Jahrhunderts ist, gilt es fast als selbstverständlich, die politische Publizistik und Essayistik Thomas Manns als unverzichtbaren Teil seines Werkes und seines Lebens zu begreifen, auch wenn sie wegen ihrer Zeitgebundenheit und Situationsbedingtheit stärker an den historischen Kontext gebunden bleibt als das rein literarische Werk. Die großen neuen Biographien, etwa die von Hermann Kurzke (1999), zeugen davon.

Mein nun wieder neu aufgelegtes Thomas-Mann-Buch entstand in einer Zeit, in der der Pulverdampf, den die öffentlichen Auseinandersetzungen über Thomas Manns harte Urteile über die Deutschen und den Nationalsozialismus sowie seine relative Offenheit für das kommunistische Deutschland erzeugt hatten, noch nicht ganz verzogen war. Ich verfolgte die Absicht, das schwierige Verhältnis der Deutschen zu diesem großen Schriftsteller und insbesondere das Thomas Manns zu Deutschland und den Deutschen zu verstehen, zu erklären und dieses Mißverhältnis, soweit mir möglich, zum Besseren zu wenden. Die Zeit hat mitgeholfen, die Nebel zu zerstreuen und ein ruhigeres, gelasseneres Verhältnis der Deutschen auch zu dem politischen Schriftsteller und Polemiker Thomas Mann einkehren lassen.

Dennoch schien es mir richtig, in der Neuauflage des betagten Buches jene Passagen nicht zu ändern, in denen meine Sorge die Feder führt, die Deutschen seien noch nicht politisch reif genug, den Wert und die Bedeutung des politischen Engagements von Thomas Mann angemessen zu verstehen und zu würdigen. Insofern ist der Text meines Buches, der, von stilistischen Kleinigkeiten und Verkürzungen abgesehen, unverändert erscheint, auch ein Zeitdokument für eine historische Situation, in der viele gebildete Deutsche sich noch schwer taten, mit dem größten Schriftsteller ihres Jahrhunderts ins reine zu kommen. Auch heute bleibt da noch vieles zu tun.

Jedes Buch hat seine Geschichte, so auch diese meine Studie über »Thomas Mann und die Deutschen«: Sie ist im wesentlichen 1960 entstanden, im folgenden Jahr gedruckt erschienen. Sie ist ein Nebenprodukt meiner mehrjährigen wissenschaftlichen Arbeit über »Antidemokratisches Denken in der Weimarer Republik«, mit der ich mich 1960 an der Universität Freiburg i. Br. für das Fach Politische Wissenschaft habilitiert habe, die jedoch erst 1962 erscheinen konnte. Im Zuge dieser Arbeit, die sich mit den politischen Ideen und Bewegungen beschäftigte, die gegen die Demokratie der Weimarer Republik gerichtet waren und daran mitwirkten, sie zugrunde zu richten, war ich auf das geistig-politische Wirken Thomas Manns gestoßen. Es beeindruckte mich, jenseits seiner stilistischen Brillanz, aus zwei Gründen: Niemand hat so treffend wie er den Zusammenhang der irrationalen Geistesströmung mit dem Aufkommen der nationalsozialistischen Massenbewegung erkannt und beschrieben, und keiner der bekannten Schriftsteller und Intellektuellen der Republik hat es wie er verstanden, Republik und Demokratie für das deutsche Bürgertum geistig zu begründen und, so man ihm folgen wollte, anziehend zu machen. So wurde Thomas Mann für mich zu einem imponierenden Beispiel für die Versöhnung von Geist und Demokratie, an der es der Weimarer Republik so sehr gebrach, daß sie sogar einem Hitler zum Opfer fallen konnte.

Ich hatte ein so starkes Interesse für die politische Seite der Lebensgeschichte dieses großen Schriftstellers entwickelt, der damals in Deutschland noch ziemlich umstritten war, daß ich in einer historischen Zeitschrift einen sehr umfänglichen Aufsatz über »Thomas Mann als politischer Schriftsteller« veröffentlichte (1958). Es war dieser Aufsatz, der den Verleger der Nymphenburger Verlagshandlung, Berthold Spangenberg, bewog, mich zu animieren, daraus ein Buch zu machen.

Beim vertieften Studium Thomas Manns – die inzwischen vorliegenden Bände der Tagebücher, welche die Forschung so enorm erweitert haben, waren noch nicht greifbar – drängten sich mir zwei Gesichtspunkte auf, die meine Darstellung leiten sollten: zum einen die lebensgeschichtliche Entfaltung des um Deutschland und sein geistiges und politisches Schicksal kreisenden Denkens Thomas Manns vom Ersten Weltkrieg bis zu seinem Hinscheiden 1955, zum andern die historischen Zusammenhänge, denen es entsprang und die Reaktionen und Wirkungen, die es unter den Deutschen auslöste, also: »Thomas Mann und die Deutschen«.

Thomas Mann gehört zu den deutschen, auch international bedeutenden Schriftstellern, über den germanistischer oder sonstwie interessierter Forschungsfleiß am massivsten hereingebrochen sind. Es gibt schon zahlreiche Bände, in denen die Unzahl der Arbeiten, die sich mit ihm und seinem Werk beschäftigen, verzeichnet sind. Läßt es sich da rechtfertigen, den sogenannten Stand der Forschung, so es ihn überhaupt gibt, auf sich beruhen zu lassen und ein Buch wieder aufzulegen, das schon Ende der fünfziger Jahre geschrieben wurde?

Ich meine ja! Die politischen Schriften Thomas Manns, die allesamt auf öffentliche Wirkung bedacht waren, lagen alle bereits gedruckt vor. Die wichtigsten neuen Quellen waren seine Tagebücher, die für eine Biographie Thomas Manns, für das Verständnis seiner Person, seiner bewußten Lebensführung und Daseinsbewältigung, zweifellos außerordentlich ergiebig und unentbehrlich sind. Doch für unser Verständnis Thomas Manns als politischen Schriftsteller offenbaren sie wenig, das nicht schon durch seine Schriften und die veröffentlichte Korrespondenz erkennbar gewesen wäre. Soweit ich sehe, hat auch die umfangreiche Sekundärliteratur keine Entdeckungen machen können, die das Bild des politischen Thomas Mann wesentlich retuschiert hätten.

Es geht bei der Beurteilung der politischen Essayistik und der tagespolitischen Stellungnahmen Thomas Manns in der Regel auch gar nicht um neue Fakten und Informationen, sondern fast immer um die schon von Anfang an diskutierte Frage, ob Thomas Mann, der als Schriftsteller bereits anerkannt und etabliert war, gut daran getan hat, sich nach Ausbruch des Ersten Weltkrieges auf die Politik einzulassen, von der er dann, sein schöpferisches literarisches Werk dessen ungeachtet unermüdlich vorantreibend, nicht mehr lassen konnte.

Auf diese Frage gab es in der bis heute geführten Diskussion über Thomas Mann als „Politiker" zwei Kategorien von Antworten: Die erste, naheliegende war unmittelbar politisch. Sie beurteilte Thomas Manns politische Schriften, Reden und Äußerungen danach, ob man sie für politisch richtig oder angemessen hielt. Entweder sie dienten der Bestätigung einer politischen Einstellung oder Werthaltung, oder sie standen ihr entgegen. Je nachdem begrüßte man das politische Engagement des Schriftstellers oder man verurteilte und kritisierte es. Das ist übrigens immer so, wenn Schriftsteller sich politisch äußern.

Die zweite Kategorie von Antworten ist mehr ästhetischer Natur. Diese Kritiker des politischen Thomas Mann schätzen sein literarisches Werk ungleich viel höher als sein politisch-essayistisches; ihnen ist der ironische, zweiflerische, skeptische Thomas Mann vielsagender als der politisch bekenntnishafte Rhetor für Demokratie und gegen den Faschismus. Sie finden den authentischeren Thomas Mann eher in den »Betrachtungen eines Unpolitischen« oder in dem Essay »Bruder Hitler« von 1938 als in den politischen Bekenntnisschriften für Demokratie und Freiheit. Noch im entschiedensten politischen Bekenntnis, so verlautbarte Joachim Fest, habe Thomas Mann zu erkennen gegeben, wie unpolitisch er war.[1] Und Marcel Reich-Ranicki spricht Thomas Mann ein richtiges Verständnis von Politik rundum ab, wenn er überlegen behauptet, die politischen Schriften Thomas Manns seien bis zum Ende seines Lebens Betrachtungen eines Unpolitischen geblieben.[2] Noch härter urteilt Klaus Harpprecht in seiner voluminösen Biographie, die Thomas Mann vom Sockel des Genies herunterholen will, wenn er ihm zum Vorwurf macht, »eine fatale Nähe zum Ungeist der Epoche« gehabt zu haben.[3]

Man sieht, daß es trotz einer längst uferlosen Forschung über Thomas Manns Leben und Werk keine gesicherten Urteile über sein reiches literarisches Werk und noch weniger über sein politisches Engagement geben kann. Es käme jedoch einer Amputation von Thomas Manns Lebenswerk gleich, wenn sich das neu erwachende literarische und öffentliche Interesse an diesem großartigen Repräsentanten der deutschen geistigen und politischen Kultur vorwiegend auf seine künstlerischen Schöpfungen und persönlichen Eigenheiten beschränkte und der dem Politischen als einer humanen Aufgabe gewidmeten Seite seines Lebens zu wenig Beachtung schenkte. Dem versuche ich entgegen zu wirken.

Thomas Mann ist der größte deutsche Schriftsteller im zwanzigsten Jahrhundert. Er ist es nicht nur durch seine literarische Kunst, sondern auch durch seine »Politik«. Wie er dazu kam, was es ihn kostete, welchen Ideen, Werten und Zielen er sich verpflichtet hatte und wie die Deutschen, die ihn 1933 aus seiner Heimat vertrieben hatten, sich zu ihm verhielten und was sie von ihm *in politicis* erfahren, ja lernen könnten, das habe ich in diesem Buch zu zeigen versucht.

Fünf Jahre nach dem Erscheinen meines Buches, das ich damals Erika Mann, der Tochter, geschickt hatte, empfing ich überraschend von ihr einen Brief, in dem sie mir, nach einer Entschuldigung für das jahrelange Versäumnis, mitteilt, die Lektüre meines Buches habe ihr »gute Zeiten« beschert: »Und durchaus halte ich fest an der damals gewonnenen Überzeugung, daß Ihr großer Kommentar geeignet war und bleibt, Klärung und Verständnis zu schaffen, wo Verworrenheit, Mißverständnis und Vorurteil grassierte ... Wo aber Hilfe möglich war, hat Ihr Buch heilend gewirkt, und dafür wird Ihnen immer dankbar sein

Ihre
Erika Mann«

Murnau, November 2001

Anmerkungen

[1] Joachim Fest, »Die unwissenden Magier. Über Thomas und Heinrich Mann«, Berlin o. J., S. 53.
[2] Marcel Reich-Ranicki, »Thomas Mann und die Seinen«, Stuttgart 1987, S. 178.
[3] Klaus Harpprecht, »Thomas Mann. Eine Biographie«, Reinbek bei Hamburg 1995, S. 29.

Einleitung

Eine Darstellung des Wechselverhältnisses zwischen Thomas Mann und den Deutschen wird notwendigerweise zu einer Darstellung von Thomas Manns Wirken als politischer Schriftsteller. Indem der Dichter sich der Frage zuwandte, was denn eigentlich das Wesen des Deutschtums ausmache, und wie das reale Deutschland seiner Umwelt mit den von ihm vertretenen geistigen Ansprüchen an die deutsche Kulturnation harmoniere, wurde er zu einem politischen Schriftsteller.

Solcher Deutung der publizistischen Aktivität Thomas Manns liegt freilich ein sehr umfassender Begriff des Politischen zugrunde, und Thomas Mann selbst hat das Politische so weit gefaßt. Für ihn war es synonym mit dem Begriff des Gesellschaftlichen, ja es enthielt alles, was außerhalb der individuellen Sphäre lag. Im Grunde ging es ihm stets, auch bei seinen politischen Verlautbarungen, um das Menschliche, dem er zunächst in seiner literarischen Kunst, unter Absehen von allen gesellschaftlich-politischen Fragen, glaubte dienen zu können. Dann wurde ihm jedoch die Einsicht, daß das Politische ein Teilgebiet des Menschlichen sei, daß man es nicht außer acht lassen dürfe, wenn man dem Humanen voll gerecht werden wolle. Jede geistige Bemühung habe darum auch dem Politischen Rechnung zu tragen und gehe gefährliche Wege, wenn sie die durch das Politische mitgestaltete Totalität des Menschlichen übersehe.

Es liegt auf der Hand, daß hier nicht Parteipolitik oder Interessenpolitik gemeint ist, auch liegt der Akzent nicht auf außen- oder innenpolitischen Gesichtspunkten. Vielmehr meint Thomas Manns Vorstellung des Politischen jene bis in die Ursprün-

ge des abendländischen Denkens zurückweisende Idee von der
Politik als dem auf das Gemeinwesen bezogenen Handeln, das
von der Frage nach der rechten gemeinschaftlichen Ordnung bestimmt wird. Da aber jede politische Ordnung eine Ordnung für
die Menschen ist, die in ihr leben, also auf den Menschen bezogen bleibt, ist sie von Belang auch für den Künstler, der mit seinem Werk dem Menschen dienen will.

Thomas Manns politische Schriftstellerei erwuchs aus der
Einsicht, daß der Geist, wenn er seine Wirksamkeit und Frucht-
barkeit für die Gesellschaft und die in ihr lebenden Menschen
erweisen will, die politischen Probleme – mochten sie unter metaphysischen Aspekten noch so niedrig und unwesentlich erscheinen – mit berücksichtigen müsse. Es war eine Einsicht, die
ihm unmittelbar aus der Erfahrung der deutschen Geistesgeschichte zukam. Er meinte zu sehen, daß der Verzicht des Geistes auf die Politik, wie er ihm für die deutsche Kulturtradition
bestimmend zu sein schien, eine Selbsttäuschung sei, die dem
Geist nicht zugute käme, denn man entgehe damit keinesfalls der
Politik, sondern gerate durch die a-politische Haltung, mit welcher man sich abzuschirmen hoffe, erst recht auf die falsche Seite.

Hinsichtlich jener Vergangenheit, von der im heutigen
Deutschland das Diktum gilt, sie sei unbewältigt geblieben, hat
Thomas Mann als politischer Schriftsteller recht behalten gegenüber jenen, die das Hinabsteigen in die Arena des publizistischen Kampfes als einen Verrat an seinem Künstlertum brand-
markten und ihn immer von neuem aufforderten, er solle bei
seinem Leisten bleiben und die Politik anderen überlassen.

Die Unterscheidung von künstlerischem Werk und politisch-
publizistischem Engagement, die von seinen Kritikern fast
durchgehend geübt wird, hat im übrigen auch Thomas Mann
selbst nahegelegen. Die »spielend leidenschaftliche Vertiefung
ins Ewig-Menschliche«, als welche er die Kunst ansah, wurde ihm
mitunter psychologisch unmöglich, weil seine »unbeschreibliche
Irritabilität gegenüber geistigen Zeittendenzen« ihn drängte,
»unmittelbare Notgedanken des Lebens« dem Kunstgedanken

vorzuziehen. Er mußte »Rede und Antwort« auf die »Forderung des Tages« stehen, weil er gemäß seiner Auffassung vom Künstlertum eine Verantwortung gegenüber der Totalität des humanen Problems empfand, welche auch das Politische einschloß. Dennoch waren die Sphäre der Kunst und die der politischen Essayistik und Pamphletistik für ihn zwei verschiedene Gebiete, die allenfalls im »Zauberberg« und vor allem im »Doktor Faustus« zu einer gewissen Einheit integriert wurden. Waren sie verschieden als Sphären, so waren sie doch zwei Momente derselben Persönlichkeit, und darum kann man, wenn man Thomas Mann als Mensch und Künstler verstehend würdigen will, die beiden Aspekte seines literarischen Wirkens nicht voneinander trennen. Gewiß wird sein dichterisches Werk viel eher bleibenden Charakter haben als sein publizistisches, das »für den Tag und die Stunde« geschaffen war, aber als Dichter seiner Zeit ist Thomas Mann sowohl als Künstler wie als politischer Schriftsteller gleichermaßen von Bedeutung.

Für die überkommenen Vorstellungen, die man in Deutschland vom Dichter hegte, war es freilich eine Art Stilbruch, wenn der Verfasser der »Buddenbrooks« als Publizist in die politische Arena hinabstieg. Die »Betrachtungen eines Unpolitischen«, die Thomas Mann selbst als ein »Künstlerwerk« im Gegensatz zum Kunstwerk bezeichnet hatte, mochten noch hingehen, zumal sie im Kern biographisch waren und in ihrer apologetischen Tendenz manche nationale Hoffnung stärkten. Als aber ihr Verfasser einige Jahre später sein Wort für die Weimarer Republik einlegte, als er sogar Fritz Ebert, ihren ersten Reichspräsidenten, würdigte, Stresemanns Außenpolitik für notwendig und gut befand und schließlich gegen die antihumanistischen Strömungen seiner Zeit mit großer Verve zu Felde zog, da wurde Thomas Mann in Deutschland zu einem politischen Fall, da begann die problemreiche und spannungsgeladene Geschichte des Verhältnisses der Deutschen zu Thomas Mann. Vorher war er ein Schriftsteller unter anderen gewesen, verehrt oder zumindest geachtet; als jedoch seine Ansichten über die politische und geistige Ent-

wicklung in seinem Lande publik wurden, geriet er, zumal er
schon über großen Ruhm und hohes Prestige verfügte, in den
innerdeutschen politischen Meinungsstreit, der sich noch nie –
erst recht nicht zu Zeiten der Weimarer Republik – durch besondere Fairneß ausgezeichnet hat.

Es wäre reizvoll genug, Thomas Mann allein als politischen
Schriftsteller anhand seiner eigenen Beiträge zum politischen
und geistigen Leben seiner Zeit zu würdigen. Dennoch bliebe die
Beschränkung auf die Publikationen Thomas Manns zu politischen Fragen ohne Relief, würde man sie nicht vor dem Hintergrund der Zeit und der Auseinandersetzung sehen, die um und
über sie in Deutschland entbrannten. Schon zur Weimarer Zeit
waren die Ansichten der Zeitgenossen über Thomas Manns Vorstoß in die politische Literatur von tiefer Zwiespältigkeit. Sie blieben es bis an sein Lebensende, und auch heute noch, Jahre nach
seinem Tode, ist die Meinung der literarischen und politischen
Öffentlichkeit in Deutschland über das politische Wirken des
Dichters geteilt. Die Stimmen, die seine politisch-literarische
Mission bejahen, sind nicht sehr zahlreich. Ein Teil seiner Kritiker fand gute Worte für die »Betrachtungen«, andere, die die »Betrachtungen« verwarfen, schätzten eher seine Kommentare zum
politischen Geschehen der Weimarer Republik, aber nur wenige
waren und sind bereit, seine Ansprachen gegen den Nationalsozialismus, insbesondere seine Rundfunkansprachen über die
BBC in London, voll zu billigen. Die intellektuellen Fronten ver-
schieben sich vollends, wenn es um die Beurteilung der Haltung
Thomas Manns gegenüber dem Kommunismus geht. In diesem
Punkt findet er fast nur noch die Zustimmung kommunistischer
oder nichtkommunistischer linker Intellektueller, während die
Mehrzahl der übrigen Kritiker ihm vorwirft, er messe die totalitären Regime des Faschismus und des Kommunismus mit zwei-
erlei Maß, was nicht angängig sei.

Wenn auch bei den seriösen Kritikern die Bedeutung seines
künstlerischen Lebenswerkes für die deutsche, ja die Weltlitera-
tur immer wieder hervorgehoben wird, so ist es doch geradezu

ein Gemeinplatz der Thomas-Mann-Kritik, den Dichter vom politischen Schriftsteller zu unterscheiden und dem letzteren eine mehr negative Zensur zu erteilen. Dabei wird, teilweise nicht ohne gute Gründe, angeführt, daß die politische Essayistik Thomas Manns literarisch hinter seiner künstlerischen Produktion zurückbleibe. Das politische Schrifttum selbst wird dann je nach der weltanschaulichen Haltung des Kritikers, bzw. nach dessen Beurteilung der zur Debatte stehenden politischen Vorgänge, verschieden gewertet.

Die politische Kritik an Thomas Mann ist im wesentlichen eine innerdeutsche Angelegenheit. Zwar haben ausländische Autoren verschiedentlich in den »Betrachtungen« eine besonders ergiebige Quelle des deutschen nationalistischen Denkens zu entdecken vermeint und dieses Buch sogar in die Ahnenreihe der geistigen Wegbereiter des Nationalsozialismus gestellt, die zahlreichen, nach den »Betrachtungen« liegenden Stellungnahmen jedoch haben im westlichen Ausland nicht sonderlich viel Kritik hervorgerufen. Es war vielmehr üblich, in Thomas Mann einen profilierten geistigen Gegner des Nationalsozialismus zu verehren und seine hohe moralische und geistige Autorität zu würdigen.

Die innerdeutsche Kritik hingegen, auch sofern sie von anderen Emigranten geübt wurde, nährt sich aus den extremen ideologischen Konflikten, die Deutschland in der ersten Hälfte des 20. Jahrhunderts heimsuchten. Die geistige Situation dieser Jahre hat es bewirkt, daß die Auseinandersetzungen um Thomas Mann als »Politiker« vielfach weit gereizter und unsachlicher geführt wurden, als einer fruchtbaren Diskussion dienlich gewesen wäre, zumal auch er bei manchen seiner politischen Pamphlete kein geringes polemisches Talent entwickelte. Daß seine politischen Stellungnahmen immer von neuem starke Beachtung fanden, war nicht allein eine Folge seiner repräsentativen Rolle als deutscher Schriftsteller, sondern erklärt sich auch aus der Tatsache, daß ein nicht geringer Teil seiner politischen Essayistik dem großen Thema »Deutschland und die Deutschen« gewidmet war, also das nationale Selbstverständnis unmittelbar ansprach.

Zudem befand sich Thomas Mann fast immer in einer polemischen Ausgangslage. Die »Betrachtungen« waren eine endlose
Polemik gegen die von seinem Bruder propagierten Ideen, die
nachfolgenden politischen Essays und Reden der Weimarer Republik polemisierten gegen die vorherrschenden geistigen Strömungen im deutschen Bürgertum, die bittere Polemik der
Attacken gegen das nationalsozialistische Regime und seinen
Führer verstand sich dann von selbst. Nach der Kapitulation
Hitler-Deutschlands hatte er sich der in vielen Deutschen nach-
wirkenden Ressentiments zu erwehren und geriet durch seine
distanzierten Äußerungen über Deutschland erst recht in den
nationalen Widerstreit. Sein Bemühen, dem zweigeteilten
Deutschland durch seine gesamtdeutsche Repräsentation als
Künstler die nationale und kulturelle Einheit für kurze Augen-
blicke wiederzugeben, sowie eine Reihe von freundlichen Worten und Gesten gegenüber dem kommunistischen Block zwan-
gen ihn wiederum in die Polemik, diesmal um darzutun, daß er
kein Kommunist sei und dem Westen zugehöre.

Dieser polemische Charakter der politischen Publizistik Thomas Manns war freilich erst recht dazu angetan, die Leidenschaf-
ten zu entfachen und den sachlichen Gehalt seiner politischen
Beiträge zugunsten vorschneller politisch-ideologischer Klassifi-
zierung in den Hintergrund zu verbannen. Statt dessen drängten
sich pauschale Beurteilungen über Thomas Mann als »Politiker«
vor, die über die Affekte und Ressentiments wie auch über die
politische Haltung ihrer Schöpfer oft mehr aussagen als über
ihren Gegenstand, der zu differenziert ist, um Urteile wie: »Thomas Manns politisches Versagen« etc. zu rechtfertigen. Sie halten
sich dennoch hartnäckig bis in unsere Tage. Man liest von »pein-
vollster politischer Halbschlächtigkeit«, schreibt von dem Empfinden, vor Thomas Manns politischer Haltung »aus Scham und
Schonung die Augen abwenden zu müssen«, nennt ihn einen
»politischen Taps«, verkündet gewichtig, daß auch der tiefste Respekt vor Thomas Manns literarischem Rang noch nicht die Verpflichtung in sich schließe, seine politischen Manifestationen

kritiklos hinzunehmen oder sie gar als gleichwertig mit seinen künstlerischen Leistungen zu betrachten. Anderen ist der politische Meinungswandel tief suspekt, obwohl es sich doch immer nur um die Wandlung vom Verfasser der »Betrachtungen eines Unpolitischen« zum Verteidiger der Demokratie und zum Gegner des Faschismus handelt. Sie nennen ihn trotzdem einen »Meister der Wandlung und Häutung«, reden von seinen »politischen Irrtümern«, als seien sie bezeichnend für sein gesamtes politisch-publizistisches Werk. Die einen sehen in ihm den ewig Unpolitischen, der von der Politik kaum mehr verstanden habe als der Ochs vom Saitenspiel, andere verurteilen an ihm den politischen Eifer, insbesondere, wenn er sich nicht mit der gleichen, ja noch größeren Empörung gegen den Kommunismus wie gegen den Nationalsozialismus wendet.

Thomas Manns Stimme ist verstummt. Er starb 80jährig am 12. August 1955. Die Fülle seiner Stellungnahmen zu politischen und gesellschaftlichen Fragen seiner Zeit liegt uns heute vollständig und leicht zugänglich vor. Eine Studie, die von der Absicht geleitet ist, Thomas Mann als politischen Schriftsteller in seiner Zeit zu zeigen, wird darum auch mit Recht jene bedeutsamen Stücke seines politisch-literarischen Schaffens in den Mittelpunkt rücken, die in die Öffentlichkeit gesprochen waren und dort Wirkung wie Gegenwirkung erzeugten. Die politische Rolle eines Dichters liegt in der öffentlichen Wirkung, die sein Wort zum Zeitgeschehen gewinnt, es sei denn, ein Dichter werde selbst zum Politiker wie seinerzeit der französische Romantiker Lamartine. Solche Absichten haben Thomas Mann jedoch immer fern gelegen. Sein politisches Handeln war geistige Aktion eines unabhängigen Schriftstellers und an kein Amt gebunden.

Thomas Mann hat sein politisches Wirken dennoch als eine Art Amt aufgefaßt, sehr zum Leidwesen mancher seiner Kritiker, die behaupteten, er werfe sich zum Praeceptor Germaniae auf. Seine Bedeutung und sein Ruhm als deutscher Schriftsteller freilich verliehen ihm eine Art nationaler Repräsentanz im Geistigen, die er im übrigen während der Weimarer Republik bereit-

willig wahrnahm und in die er durch seine Emigration aus
Deutschland erst recht gedrängt wurde. Diesem selbstgewählten
Amt entsprach es, daß Thomas Manns politische Themen in
ihrem Kern immer wieder die Geistesverfassung der deutschen
Nation und ihrer Kultur berührten. »Deutschland und die Deutschen« war das immer neu variierte Leitthema seiner politischen
Schriften, und wenn er seinen Washingtoner Vortrag vom Jahre
1945 so betitelte, so schien es uns, die wir seinen Lebensweg als
politischer Schriftsteller im Widerstreit der deutschen öffentlichen Meinung nachzeichnen wollen, passend, diese Studie »Thomas Mann und die Deutschen« zu überschreiben.

Unsere Untersuchung will die Auseinandersetzung um Thomas Mann nicht durch weitere Polemik bereichern, wenngleich
ihre Ergebnisse sich wie eine Rechtfertigung Thomas Manns aus-
zunehmen scheinen. Sie sieht in Thomas Mann eine Figur der
Zeitgeschichte und hofft, daß eine Darstellung der politischen
Ideen Thomas Manns und der durch sie entfachten innerdeutschen Diskussion ein wenig auch zur Erhellung der Geschichte
dieser Zeit beitragen kann. Die beiden großen Zeitabschnitte, in
denen sich Thomas Manns politisch-literarisches Wirken in besonderer Weise entfaltete, die Weimarer Republik und die
Herrschaft Hitlers über Deutschland und einen Großteil Europas, sind bereits Geschichte. Eine uns nahe Geschichte gewiß,
aber doch wiederum fern und von der Historie genugsam er-
schlossen, um die Bemühung zu rechtfertigen, die politischen
Äußerungen Thomas Manns vom Widerstreit der Tagesmeinun-
gen zu lösen und in größere geistige und historische Zusammenhänge einzuordnen. Es hat darum einen guten Sinn, heute
der Frage nachzugehen, ob Thomas Mann als politischer Schriftsteller sich »verirrt« hatte, wie manche meinen, oder ob sein
Wort zum Zeitgeschehen vor der Geschichte selbst Bestand hat.
Und es verspricht einigen Ertrag für die Erkenntnis der Geistesverfassung der Nation, in der er wirkte, bzw. auf die er einwirken
wollte, zu prüfen, woran es liegt, daß der politische Literat Thomas Mann zu einem beträchtlichen Teil des geistigen Deutsch-

land in eine schiefe und unerfreuliche Beziehung geriet. Schließlich und endlich bedarf es einer eingehenderen Untersuchung,
ob die politischen Kategorien und Theorien des Dichters ebenso
zeitgebunden sind wie die Anlässe, aus denen heraus sie formuliert wurden.

Der Weg unserer Darstellung ist chronologisch. Wir setzen ein
mit den politischen Äußerungen des Dichters im ersten Weltkriege, widmen einen beträchtlichen Teil unserer Studie den
»Betrachtungen eines Unpolitischen«, weil sie das politische
Grundwerk Thomas Manns sind und im Laufe der Zeit den verschiedenartigsten Deutungen unterworfen wurden. Es folgt
Thomas Manns überraschende Wendung zur Demokratie und
damit zur umkämpften Republik von Weimar, und in ihr der
früh begonnene, mit scharfen polemischen Waffen, aber von tiefer Einsicht in die Problematik des deutschen Geistes geführte
Kampf gegen die den Nationalsozialismus fördernde irrationale
und antihumanitäre Geistesströmung im Deutschland der
zwanziger und dreißiger Jahre.

Die Emigration wird zur zweiten großen Zäsur im politischen
Schaffen Thomas Manns. Er wird nach einer kurzen Periode des
Schweigens zum Wortführer des Antifaschismus der deutschen
Emigranten, zum Repräsentanten des geistigen Deutschland gegenüber dem Ungeist des Nationalsozialismus. Die ersehnte Niederlage des Dritten Reiches bringt ihn, der inzwischen amerikanischer Bürger geworden ist, in eine delikate Situation gegenüber
vielen seiner ehemaligen Landsleute, die seine eilige Rückkehr
nach Deutschland erwarten und ihm sein Zögern arg verübeln.
Damit einher läuft eine sich immer wieder zuspitzende Auseinandersetzung um Thomas Manns Verhältnis zum Kommunismus. Sie wird für Deutschland besonders akut, als der Dichter
zweimal der kommunistischen Regierung der sowjetischen Besatzungszone die Ehre seines Besuches erweist.

Alle diese Stationen seines Weges als politischer Publizist sind
von den verschiedenartigsten Reaktionen des Publikums begleitet, denen wir jeweils Rechnung zu tragen versuchen. Wir be-

schließen unsere Studie mit einer Gesamtwürdigung der Rolle Thomas Manns als politischer Schriftsteller in der Hoffnung, durch unseren Beitrag ein wenig zur Aufklärung des noch immer herrschenden Meinungswirrwarrs beizutragen.

Wir wissen, daß einige der großen Romane Thomas Manns, aber auch verschiedene kleinere dichterische Stücke von nicht geringem politischem Gehalt sind. Insbesondere dürfte der Leser dieses Buches eine eingehende Würdigung des »Doktor Faustus«, der ja der Roman unseres Themas ist, erwarten. Wir haben darauf verzichtet, weil wir bereits vorliegenden literarisch-kritischen Analysen vermutlich wenig Neues hinzufügen könnten, vor allem aber auch, weil das gedankliche Grundgerüst dieses Romans von seinem Autor selbst an verschiedenen Stellen bloßgelegt worden ist, so daß wir Fragen der literarischen Technik und Kritik, die hier eine Rolle spielen müßten, außer acht lassen konnten. Dies um so mehr, als wir diesen Beitrag zur Thomas-Mann-Forschung nicht als den eines Literaturwissenschaftlers, sondern als den eines Zeithistorikers verstehen.

Trotz unserer Hoffnung, den politischen »Fall Thomas Mann« in seinen vielen Nuancen verständlicher machen zu können, bleibt das Empfinden eines Ungenügens: weniger gegenüber den inhaltlichen Problemen dieser Studie als gegenüber der Form, in der sie präsentiert wird. Man würde sich eine Betrachtung dieses Fragenkomplexes wünschen, die in Stil, Niveau und Gestaltung etwas von dem Format des Meisters besäße, den sie zu ihrem Hauptgegenstand hat. Wenigstens die zahlreichen von uns aufgenommenen Zitate stellen diese Wirkung her. Im übrigen wäre es bei aller Hoffnung, die man, ohne unbescheiden zu sein, mit einer Studie verbindet, welche der Öffentlichkeit zur Orientierung dienen will, eine erwünschte Nebenwirkung dieses Buches, wenn es den Leser zu dem großen Werk des Dichters hinführte, dessen faszinierende politisch-literarische Mission uns hier beschäftigt: zu Thomas Mann.

Teil I
Erkundung

(1914–1920)

Betrachtungen
eines Unpolitischen

von

Thomas Mann

⸻

„Que diable allait-il faire dans cette galère?"
(Molière, Les fourberies de Scapin)
„Vergleiche dich! Erkenne, was du bist!"
(Goethe, Tasso)

1 9 1 8

S. Fischer, Verlag
Berlin

1

Gedanken des Krieges

Im Mittelpunkt einer jeden Untersuchung über Thomas Manns politisches Denken stehen seine »Betrachtungen eines Unpolitischen«. Es kann nicht anders sein, weniger, weil sie das bei weitem umfangreichste Werk sind, das Thomas Mann je zu politischen Fragen hervorbrachte, als vielmehr, weil von ihnen alles seinen Ausgang genommen hat. Als gewollt »Unpolitischer« präsentierte er sich 1918 der literarischen Öffentlichkeit, und indem er dies tat, war es bereits um seine unpolitische Haltung geschehen. Für immer. Nachdem er sich einmal bekannt hatte, glaubte er sich immer von neuem bekennen zu müssen, bis an sein Lebensende. Weder die Eigenart seines Künstlertums noch der Drang zum politischen Engagement, den wir später an ihm feststellen, fänden eine zureichende Erklärung ohne die »Betrachtungen«. So wie Manns politisch-literarische Karriere, wenn das Wort erlaubt ist, von diesem Buch seinen Ausgang nahm, so hat auch die Auseinandersetzung der Öffentlichkeit – vorab der deutschen – um Thomas Mann von diesem Buch ihren Ausgang genommen, auf den sie immer wieder zurückgekommen ist. Bis dato war Thomas Mann eine Figur des literarischen Lebens gewesen, weithin bekannt und geschätzt – nach den »Betrachtungen« wurde er eine Figur des öffentlichen Lebens im weitesten Sinne. Bis dato hatte er als Künstler gegolten, mochte man in ihm den Dichter oder »nur« den Schriftsteller sehen, nach den »Betrachtungen« wurde er auch zum politischen Publizisten, und es ist erst diese Seite seiner literarischen Existenz, die zur Geschichte des reziproken Verhältnisses »Thomas Mann und die Deutschen« geführt hat. Allein, es wäre nicht ganz kor-

rekt, die Geschichte des politischen Publizisten Thomas Mann,
die Darstellung seines Verhältnisses zum Deutschtum und des
Verhältnisses der Deutschen zu ihm, mit den »Betrachtungen«
beginnen zu lassen. Denn auch die »Betrachtungen« haben ihre
Vorgeschichte, und auch diese Vorgeschichte hat politische Hin-
tergründe.

Im September 1914, kaum daß der Weltkrieg einige Wochen
währte, schrieb Thomas Mann einen Essay, den er, ganz der Situation entsprechend, in welcher er entstanden war, »Gedanken
im Kriege« betitelte und in der »Neuen Rundschau« publizierte.[1]
In ihm hallt, wie in keiner anderen Veröffentlichung aus seiner
Feder, die Stimmung patriotischer Begeisterung und Ergriffenheit nach, die das Deutschland der Augusttage 1914 durchflute-
te. *Wie die Herzen der Dichter sogleich in Flammen standen, als
jetzt Krieg wurde! Und sie hatten den Frieden zu lieben geglaubt,
sie hatten ihn wirklich geliebt, ein jeder nach seiner Menschlichkeit ... Nun sangen sie wie im Wettstreit den Krieg, frohlockend,
mit tief aufquellendem Jauchzen.*[2] Auch Thomas Mann sang
mit, wenn man diesen Essay seinen Kriegsgesang nennen darf.
Er fühlte sich erleichtert beim *Zusammenbruch einer Friedens-
welt, die er so satt, so überaus satt hatte!*[3] Er empfand den Kriegsausbruch als *Reinigung, Befreiung und ungeheure Hoffnung.*
Deutschlands ganze Tugend und Schönheit, so wähnte er, entfal-
te sich erst im Kriege. Doch es habe diesen Krieg nicht gewollt.
Händlertum habe ihn skrupellos und lästerlich angestiftet. Das
Deutsche Reich werde jedoch freier und besser daraus hervorgehen, als es war.

Und die Kriegsgegner? Wie sieht er sie? England lüge derart,
daß man sich sogar als Deutscher seiner schämen müsse, und
Frankreichs Generosität und Menschlichkeit gehe unter in einem
Rausch von Tollwut und schimpflicher Hysterie. Thomas Mann
weiß sich bis zur flammenden Entrüstung überzeugt, daß der
Anspruch der westlichen Völker, den deutschen Barbaren die Zivilisation, die Demokratie bringen zu müssen und sie ihrer »Ge-

waltherrschaft« und ihres »Militarismus« ein für allemal zu ent-
wöhnen, nichts als eine unerhörte Beleidigung des Deutschtums
darstellt. Solche Unwissenheit über das heute wichtigste Volk
Europas sei nicht länger erlaubt, *sie ist strafbar und muß sich rä-
chen.*[4] Jene aber, die Deutschland einzingeln, abschnüren, austil-
gen wollten, würden schließlich staunend genötigt sein, es zu studieren.

Dies sind freilich nur einige der »Gedanken im Kriege«. Sie
kehren im übrigen ausführlicher, differenzierter und auch ein
wenig distanzierter in den Blättern wieder, die der Unpolitische
drei Jahre danach über Kunst und Politik vorlegte. Wesentliche
Ideen der »Betrachtungen« klingen jedoch auf den wenigen
Seiten des zornigen Essays schon an: die Unterscheidung von
Zivilisation und Kultur, die Rechtfertigung des Krieges, der Gegensatz von *Vernunft und Dämon, Geist und Genie, trockener Hel-
ligkeit und umwölktem Schicksal, bürgerlicher Sittigung und he-
roischer Pflicht*[5], wobei jeweils das erste für Frankreich, das
andere für Deutschland steht. Voltaire und Friedrich der Große,
das ist für Thomas Mann die Inkarnation des nationalen Wider-
streits zwischen Frankreich und Deutschland, der große Zivilist
gegen den großen Soldaten, und kein Wunder auch, daß das erste
dichterische Werk, das er in den Kriegsmonaten gestaltet hat und
das sein einziges bleiben sollte, welches der Krieg ihm zu schreiben verstattete, ein Büchlein über den großen Friedrich war.

Es ist ein schwer zu klassifizierendes Stück Literatur. Sein Verfasser hat es *einen Abriß für den Tag und die Stunde* genannt, und
zweifellos ist das Werkchen in manchem an den Tag und die
Stunde gebunden. Das Thema war ihm freilich nicht ganz neu.
In der großen Novelle »Der Tod in Venedig«, die einige Jahre
zuvor erschienen war, trug sich der Dichter Aschenbach mit Plä-
nen für dieses Sujet. Als er das Thema dem Dichter in der Novelle überantwortete, schien Thomas Mann also auf den Gegenstand ganz verzichten zu wollen. Da kam der Krieg, und mit ihm
drängte sich für Thomas Mann ganz unabweislich die Idee einer

verblüffenden Parallelität zwischen dem Geschick des großen
Königs und der Situation Deutschlands zu Beginn des Weltkrieges auf: Schon die Gestalt des Königs selbst, war sie nicht die Per-
sonifikation deutschen Wesens, das so viele lebendige Gegensätze in sich schließt und darum nicht harmonisch in sich zu ruhen
vermag? Und die politische Situation? Jene große Koalition, die
Friedrich sich durch seinen Einfall in das neutrale Sachsen auf
den Hals geladen, und gegen die er schließlich nur durch das
Wunder des Hauses Brandenburg zu obsiegen vermochte, hatte
sie sich nicht ganz ähnlich wiederhergestellt in den Jahren vor
dem Ausbruch des großen Völkerringens, so daß Deutschland, in
seiner Not, nichts anderes übrigblieb, als es Friedrich gleichzu-
tun, nämlich den Angriff zu wagen, um seine Verteidigung zu sichern? *In der Politik wie im Leben überhaupt bedeutet der Name
meist nur eine Beschwichtigung und trifft seine Sache höchst oberflächlich. Ein Angriff kann ja aus Not geschehen und ist dann also
kein Angriff mehr, sondern eine Verteidigung.*[6] Und war das *Geze-
ter Europas,* das sich ob Friedrichs unrechtmäßigem Einfall in
Sachsen erhob, nicht vergleichbar dem Entrüstungssturm, den
westliche Propaganda gegen den Einfall Deutschlands in das
neutrale Belgien entfachte? In einer der ganz wenigen direkten
Anspielungen auf die Gegenwart, die der Essay enthält, schreibt
Thomas Mann dazu: *Von dem Lärm, der sich über diesen uner-
hörten Friedens- und Völkerrechtsbruch in Europa erhob, macht
man sich keine Vorstellung. Oder doch, es ist wahr, ja, neuerdings
macht man sich wieder eine Vorstellung davon.*[7]

In seinen »Gedanken im Kriege« hatte Thomas Mann entschlossen behauptet: *Deutschland ist heute Friedrich der Große. Es
ist sein Kampf, den wir zu Ende führen, den wir noch einmal zu
führen haben ... Es ist auch seine Seele, die in uns aufgewacht ist.*[8]
Nimmt man jedoch die Identifikation ernst und überprüft sie an
jenem Friedrich, dessen Lebensabriß Thomas Mann so bestechend und psychologisch unterkühlt zeichnet, so ist das Ergebnis nicht nur schmeichelhaft. Denn der Friedrich des Thomas
Mannschen Abrisses ist ein König ohne Gloriole.

*Eigensinnig und despotisch war er, bis zum Mesquinen und bis
zum Grandiosen ... Und überhaupt hatte er ja einen zynischen
Zug, – sogar in seiner Kleidung, die immer malproprer und schäbi-
ger wurde, aber auch in der Art seiner Erholung und Zerstreuung,
– diesen ewigen Gottes- und Glaubenslästerungen beim Souper,
diesem dürren und boshaften Vergnügen daran, die Literaten und
Philosophen, die er beköstigte, bis aufs Blut zu necken und sie un-
tereinander zu ›brouillieren‹. Und hatte nicht selbst seine unerhörte Arbeitswut etwas Zynisches, Dürres und Lebensfeindliches – für
den gesunden und richtigen Menschensinn? ... Der böse Mann. Ja,
das war er. Und zwar ebenso sehr Mann als böse.*[9] Europa, so be-
richtet der Autor, *war von tiefem Mißtrauen ihm gegenüber erfüllt.
Sein Charakter war ihm grund-fremdartig und rätselhaft.*[10]

Rätselhaft freilich will uns zunächst auch die Methode erscheinen, mit der Thomas Mann in Friedrich dem Großen dem
Deutschland Wilhelms II. ein Denkmal setzen will. Kann, ja darf
man so schreiben, wenn man gut national sein und am Beispiel
Friedrichs Deutschlands Sache verteidigen, seine Lage rechtfertigen will? Das Mittel scheint wenig probat und wird nicht allsei-
tig gebilligt; aber es ist gerade die ironische Distanz, die Thomas
Mann befähigt, die wirkliche Größe des Königs trotz seiner Eigenheiten und Schrullen, seiner Despotie und Weiberfeindschaft
hervortreten zu lassen, ohne darum ins billige Glorifizieren zu
verfallen. Nur dadurch ist dieser historisierende Essay so gelungen, weil er sich jede bramarbasierende Großsprecherei und Hel-
denverehrung versagt, weil er menschlich ist bis in die kleinsten
psychologischen Details, weil er das Ironische im Wesen des Königs selbst zum Prinzip seiner Darstellung erhebt. Es zeigt sich
gerade an diesem kleinen Stück literarisch vollendeter histo-
risch-politischer Biographie, wie richtig Thomas Mann urteilte,
als er sein ihm spezifisches Stilmittel der Ironie in den »Betrachtungen« mit der Liebe in Verbindung brachte und von der *eroti-
schen Ironie des Geistes* sprach.

In der Stunde nämlich, in der Thomas Mann seinen Friedrich-
Essay schreibt, den er Anfang 1915 der Öffentlichkeit übergibt,

ist er mit seinem ganzen Herzen bei seinem von allen Seiten ge-
schmähten Deutschland. Jeder Propagandaangriff der Entente
trifft ihn persönlich, jedes verleumderische Wort über seine Nation verwundet ihn. Und wie hart muß es ihn erst treffen und
heimsuchen, als solche Worte aus unmittelbarer, aus brüderlicher Nähe an sein Ohr dringen, und als er selbst, wenn auch in
verhüllter Form, zum Gegenstand der »antideutschen« Polemik
wird. Dieser Schock ist die Geburtsstunde der »Betrachtungen
eines Unpolitischen«.

Wohl glaubte der Autor des Essays über Friedrich sein dichterisches Wort zu den Zeitereignissen fürs erste gegeben zu haben.
Er meinte damit der Nation zu dienen, indem er ihr in einer
Stunde der Not und der bitteren Schmähung und Verleumdung
von draußen das Bild jenes Königs zeichnete, der einer ähnlichen
außenpolitischen und strategischen Lage wider allen Anschein
der Vernunft getrotzt und sie gemeistert hatte. Und war es kein
Bekenntnis zu Deutschland und dem ihm vom »Schicksal« ver-
ordneten Kampf um sein künftiges Lebensrecht, wenn Thomas
Mann es für richtig hielt, daß der König und Staatsmann über
den Philosophen in Friedrich triumphiert hatte, der, wie Thomas
Mann schrieb, *unrecht tun* und *ein Leben gegen den Gedanken
führen* mußte, *damit eines großen Volkes Erdensendung sich erfül-
le?*[11]

Aber man goutierte seinen Kriegsbeitrag keineswegs überall
im nationalen Lager. Es war schon keine gelinde Überraschung
für den Autor, als Freunde, denen er das Manuskript zu lesen
gegeben hatte, ihn vor der Veröffentlichung warnten, nicht etwa,
weil es zu nationalistisch, zu heroisierend, zu kühn im Umgang
mit den historischen Fakten sei, sondern weil es zu wenig von
alledem habe. Ironie nach beiden Seiten, von der, laut Thomas
Mann, auch jener König so viel besaß, war nicht gerade der
hervorstechendste geistige Zug seiner nationalistischen Landsleute. Allein das Fehlen dieser Geistesgabe erklärt schon zu einem gewissen Teil, warum es zu den ständigen Auseinandersetzungen kommen mußte, die seit dem Ersten Weltkrieg das

Verhältnis der Deutschen zu Thomas Mann bestimmten und belasteten.

Thomas Mann hat in diesem Essay, wie er in einem Brief an Paul Amann mitteilte, zwar das Preußische verherrlicht, aber auf eine »verschmitzte und skeptische« Weise.[12] Ein verschmitzter, ein skeptischer Nationalismus, sozusagen, war jedoch nicht gerade das Erbteil der deutschen Konservativen und späteren Deutsch-Nationalen. Vielleicht spürten sie auch an der ungewohnten Behandlung seines königlich-preußischen Themas, daß Thomas Mann damals überzeugt war, daß der Geist des Preußentums nicht mehr der Geist der deutschen Zukunft sein könne. Ebenfalls an Paul Amann schrieb er Anfang 1915, daß das Preußentum dazu bestimmt sei, überwunden zu werden; es sei nur zu wünschen, daß diese Überwindung nicht mit Schimpf und Schande vor sich gehe.[13] Sie ging schließlich mit Schimpf und Schande vor sich, und an der durchaus mangelhaften Überwindung krankte die Weimarer Republik bis zum Tode.

War also den einen der Fridericus-Essay zu wenig glorios, zu fern der chauvinistisch-verklärenden Grundhaltung wilhelminischen Alldeutschtums, so war er anderen gleichfalls ein Dorn im Auge, schien er doch ihre teuersten Prinzipien zu verhöhnen und sich zum Interpreten einer das Recht geringachtenden, schicksalsverklärten deutschen Machtpolitik unter Berufung auf die deutsche Sendung zu erheben. Beide hatten so unrecht nicht. Den einen war die Ironie zuwider, mit der das Sujet gestaltet worden war, eine Ironie, ohne welche das von den »Kriegsereignissen eingegebene, ja abgepreßte Werkchen« freilich kaum seine menschliche Nähe und hohe literarische Qualität gewonnen hätte; den anderen war die Besessenheit ein Ärgernis, mit welcher sein Autor das Deutschtum in der Gestalt jenes Königs zum Symbol der gegenwärtigen Weltauseinandersetzung erhob.

───── 2 ─────

Der Bruderkrieg

Die Antwort von jener anderen Seite kam bald, und sie kam aus unmittelbarer Nähe. Anfang 1915 veröffentlichte Heinrich Mann, der Bruder, in den von René Schickele herausgegebenen »Weißen Blättern« einen großen Essay über Emile Zola.[14] Er war eine Replik auf den Friedrich-Essay des Bruders. Gewiß handelte dieser Essay von Zola, aber er war ebenso doppelbödig wie die Friedrich-Studie. So wie Thomas den preußischen König zum Sinnbild des Deutschtums erhoben und mit ihm Deutschlands Sein und Handeln erklärt und gerechtfertigt hatte, wiederholte Heinrich in seinem »glänzenden Machwerk« (Thomas Mann) das flammende »j'accuse« des historischen Zola, diesmal gegen die herrschenden Gewalten *seines* Landes. Es war eine versteckte Anklage gegen die reaktionären Mächte des deutschen Kaiserreiches und seine intellektuellen Protagonisten, unter denen Heinrich zu seinem Kummer auch seinen Bruder wußte. Friedrich als Sinnbild des Preußentums und seiner erschreckend faszinierenden Kräfte, Zola als flammender Rhetor einer gerechten, menschenwürdigen und freien Republik, das war der literarische und tiefpersönliche Kontrast, der nun aufbrach. Wenn Thomas Mann in seinen »Gedanken im Kriege« den aufklärerischen Geist Voltaires gegen das starke königliche Sein seines Friedrich stellte und in beiden Figuren Sinnbilder des Weltenringens zwischen Deutschtum und westlicher Zivilisation sah, so war ihm in seinem eigenen Bruder der deutsche Voltaire der Gegenwart erstanden.

Nur der kann die außerordentliche Betroffenheit Thomas Manns nachfühlen, jene Betroffenheit, die nur durch die qualvolle Niederschrift der »Betrachtungen« einigermaßen wich, der sich klarmacht, daß das radikal-feindliche Gegenprinzip, gegen das es sich jetzt kriegerisch zu behaupten galt, im eigenen Lande seine Fürsprecher fand – und den beredtesten in seinem leiblichen Bruder. Die »Betrachtungen« sind gewiß mehr als nur polemische Auseinandersetzungen mit dem Bruder, sie sind, wie Thomas Mann selbst sagt, eine *Generalrevision meiner Grundlagen*, eine Erkundung des Wesens seines eigenen Künstlertums und seiner Beziehung zum Deutschtum, aber sie sind in ihrer Besonderheit und Eigenartigkeit, in ihrer so absolut persönlichen Färbung schlechterdings nicht denkbar ohne die Pein, die es Thomas Mann verursachte, in seinem Bruder den Anwalt eben jener Gedanken und Utopien zu entdecken, deren Heraufkommen in Deutschland er für eine nationale Katastrophe ansehen zu müssen glaubte.

War der Zola-Essay Heinrich Manns der konkrete Anlaß für die umständliche und schmerzhafte Gewissenserforschung, die Thomas Mann über zwei Jahre lang mitten im Kriege trieb, so hatte natürlich die brüderliche Nähe trotz anfänglich recht guter und liebenswürdiger Beziehungen in Thomas schon vor 1914 eine innere »Gereiztheit« gegenüber Heinrich entstehen lassen, die durch den großen Essay des Bruders zur Unerträglichkeit gesteigert wurde. Thomas Mann schrieb, noch vor Erscheinen seiner »Betrachtungen«, am 3. 1. 1918 an Heinrich:

Hattest Du es schwer mit mir, so hatte ich es natürlich noch viel schwerer mit Dir … Das brüderliche Welterlebnis hörte alles persönlich. Aber Dinge, wie Du sie in Deinem Zola-Essay Deinen Nerven gestattet und den meinen zugemutet hast, – nein, dergleichen habe ich mir niemals gestattet und nie einer Seele zugemutet. Daß Du nach den wahrhaft französischen Bösartigkeiten, Verleumdungen, Ehrabschneidereien dieses glanzvollen Machwerks, dessen zweiter Satz bereits ein unmenschlicher Exzeß war, glaubtest, ›Annäherung suchen‹ zu können, obgleich es ›hoffnungslos schien‹ beweist die ganze Leichtlebigkeit eines, der ›sein Herz ins Weite erhob‹.

Daß mein Verhalten im Krieg ›extrem‹ gewesen sei, ist eine Unwahrheit. Das Deine war es, und zwar bis zur vollständigen Abscheulichkeit … Was hinter mir liegt, war eine Galeerenarbeit; immerhin danke ich ihr das Bewußtsein, daß ich Deiner zelotischen Suade heute weniger hilflos gegenüberstünde als zu der Zeit, da Du mich bis aufs Blut damit peinigen konntest …

Warum war er (der Zola-Artikel) *in seiner ganzen reißenden Polemik auf mich eingestellt? Das brüderliche Welterlebnis zwang Dich dazu … Laß die Tragödie unserer Brüderlichkeit sich vollenden.*

Schmerz? Es geht. Man wird hart und stumpf. Seit Carla sich tötete und Du fürs Leben mit Lula brachst, ist Trennung für alle Zeitlichkeit ja nichts Neues mehr in unserer Gemeinschaft. Ich habe dieses Leben nicht gemocht. Ich verabscheue es. Man muß zu Ende leben, so gut es geht.[15]

Die Jahre des Ersten Weltkrieges waren der absolute Tiefpunkt in den Beziehungen der beiden Brüder. Erst Anfang des Jahres 1922, als Heinrich an einer schweren Krankheit darniederlag und nur langsam wieder genas, fanden sie erneut zueinander und vermochten jenes *brüderliche Welterlebnis* vor seiner tragischen Vollendung zu bewahren. Wahrlich kein freundlicheres, ehrerbietigeres brüderliches Denkmal läßt sich vorstellen, als jene Gedenkworte, die Thomas Mann »anläßlich des Hinscheidens meines Bruders Heinrich«[16] geschrieben hat. Und ist es nicht mehr als ein überraschender Zufall, daß Heinrich Manns letzte schriftstellerische Bemühungen eben jenem preußischen Friedrich galten (das Werk blieb unvollendet), welcher dereinst in der Skizze aus Thomas' Feder ihm zum schlimmen Ärgernis geworden war und die unheilvolle Kette von brüderlicher Polemik und Antipolemik in Gang gesetzt hatte?

Doch nun zum Zola-Essay selbst, jenem dreißigseitigen Stück eleganter, aber aggressiver und selbstbewußter Prosa, gegen welches Thomas Mann glaubte seine 600seitigen »Betrachtungen« schleudern zu müssen. Welches waren die »Unzuträglichkeiten und Unmenschlichkeiten« dieses Versuchs? Worin lag seine »Abscheulichkeit und Extremität«?

Thomas Mann gibt darüber in seinen »Betrachtungen« ausreichend Rechenschaft. Ohne je seinen geistigen Widersacher beim Namen zu nennen – er geistert als Zivilisationsliterat durch das ganze Buch – ist er doch ständig präsent, und es ist, als sei die ganze Schrift einzig an seine Adresse gerichtet.

Thomas Mann spricht vom Zivilisationsliteraten zumeist im Singular, Heinrich hingegen von den »Wortführern und Anwälten«, die daran mitwirken, daß das Land in *untermenschliche* Zustände zurückfalle. *Wie,* so lesen wir bei ihm, *wenn man ihnen sagte, daß sie das Ungeheure, das jetzt Wirklichkeit ist, daß sie das Äußerste von Lüge und Schändlichkeit eigenhändig mit herbeigeführt haben –, da sie sich ja immer in feiner Weise zweifelnd verhielten gegen so grobe Begriffe wie Wahrheit und Gerechtigkeit ... Lieber als umzukehren und, es zurückbannend, hinzutreten vor ihr Volk, laufen sie mit seinen abscheulichen Verführern neben ihm her und machen ihm Mut zu dem Unrecht, zu dem es verführt wird. Sie, die geistigen Mitläufer, sind schuldiger als selbst die Machthaber, die fälschen und das Recht brechen. Für die Machthaber bleibt das Unrecht, das sie tun, ein Unrecht; sie wenden nichts ein als ihr Interesse, das sie für das des Landes setzen. Ihr falschen Geistigen dreht Unrecht in Recht um, und gar in Sendung, wenn es durch eben das Volk geschieht, dessen Gewissen ihr sein solltet.*[17]

Hatte Thomas Mann ein zu großes Maß an Empfindsamkeit, ja Empfindlichkeit, als er solche Stellen auf sich bezog? Wohl kaum. Sie waren auf ihn gemünzt, auf ihn vor allem, und ihm galt auch jenes schreckliche und tief verwundende Wort, daß er durch seine pronationale Stellungnahme *gegen Wahrheit und Gerechtigkeit* auch eingestanden habe, *daß man mit allen seinen Gaben doch nur ein unterhaltsamer Schmarotzer war.*[18]

Angesichts solcher verkappten und doch dem Wissenden offenbaren Angriffe dünkte dem Thomas Mann der »Betrachtungen« mit einem gewissen Recht, daß der europäische Krieg, der ja nicht nur um Macht und Geschäfte, sondern auch um Gedan-

ken geführt wurde, auch ein deutscher Bürgerkrieg, ja im wört-
lichsten Sinne ein Bruderkrieg sei. Die Waffen, mit denen dieser
geführt werde, so meinte Thomas, stünden an fortgeschrittener
Grausamkeit denen in nichts nach, die an den Fronten wüteten.
So konnte freilich nur sprechen, wer die geistige Auseinandersetzung tiefernst nahm, wer davon überzeugt war, daß dieser
Krieg einen höheren Sinn hatte als Gebietseroberungen und
wirtschaftliche Expansionen.

Das war, mochte es in dieser anspruchsvollen Zuspitzung auch
nicht auf alle zutreffen, die Überzeugung der gesamten in den
Krieg gerissenen europäischen Intelligenz. Thomas Mann selbst
hat nicht nur in den »Betrachtungen«, sondern an vielen anderen Stellen auf die außerordentliche Heftigkeit jener Kriegspro-
paganda hingewiesen, die zu Beginn des Weltenbrandes von seiten der demokratischen Westmächte auf die deutschen Gegner
herniederging. Schließlich war ja Thomas Mann keineswegs der
einzige, der auf so dezidierte Weise sein Deutschtum gegen den
Ansturm der westlichen Ideen verteidigte. Ein großer Teil der
gehobenen deutschen Intelligenz, voran die deutsche Professo-
renschaft, ließ sich angesichts des moralischen Druckes der
feindlichen Propaganda zu nationalen Bekenntnissen und krie-
gerischen Treuekundgebungen zum deutschen Schicksal hin-
reißen, die sich nur aus dieser psychologischen Belastung und
dem Nachklang des vaterländischen Begeisterungstaumels der
Augusttage 1914 einigermaßen erklären lassen. Max Scheler z. B.
pries den »Genius des Krieges«, Werner Sombart reduzierte den
völkerpsychologischen Gegensatz zwischen Angelsachsentum
und Deutschtum auf die primitive Gegenüberstellung von
»Händlern und Helden«. Selbst der besonnene Ernst Troeltsch,
aus dem schließlich gleich wie Thomas Mann ein eloquenter
Fürsprecher der Synthese zwischen deutschem und westlichem
Ideengut geworden ist, hat in den ersten Kriegsjahren die unbe-
dingte Höherwertigkeit der deutschen, aus der Romantik
herrührenden Ideen gegenüber dem rationalen Naturrecht der
westlichen Demokratien behauptet. Es ist hier nicht der Ort zu

entscheiden, wer im größeren Recht war mit der siegesbewußten
nationalen Selbsteinschätzung, die deutschen oder die westlichen Intellektuellen: die Bergsons und die G. B. Shaws, die sich
mit vielen anderen ihrer Landsleute absolut überzeugt wähnten,
in Deutschland den reaktionärsten, allen Fortschritt und jede zi-
vilisatorische Gesittung aufhaltenden europäischen Störenfried
vor sich zu haben, oder die ob solcher »Dreistigkeiten« aufge-
brachten deutschen Publizisten, die mit gleichem Stimmauf-
wand und kaum weniger schonend für die Gegenseite die wahre
Kultur und den wahren Fortschritt allein im deutschen Volke
und seinem politischen Regime verkörpert sahen. Auf jeden Fall
gab es neben dem Krieg der Waffen auch einen erbitterten geistigen Krieg, und diejenigen, die deutscherseits in ihn eintraten,
die sich, wie Thomas Mann, zum *Gedankendienst mit der Waffe*
einberufen ließen, litten allesamt unter dem bedrückenden Gefühl, mit ihrem Volk von einem großen Teil der öffentlichen
Weltmeinung verurteilt und verachtet zu werden, verkannt bis
ins tiefste. Da sie anders dachten über ihr Vaterland als jene, die
von draußen als Fremde anklägerisch über es richteten, oder die,
wie Heinrich Mann, in Deutschland selbst diesem Denken verschrieben waren, fühlten sie sich zur moralischen Rechtfertigung
aufgerufen und verteidigten das angegriffene Deutschtum gegenüber den *Verleumdungen* und der *Schmach,* die man auf *unser
armes Volk* häufte. *Was aber dieses Volk,* so schrieb unser Autor an
Paul Amann, *sich seit Kriegsbeginn hat sagen und antun lassen
müssen, das, sollte ich denken, hätte das abgesondertste Einzelwe-
sen zu nationalem Solidaritätsgefühl, zu nationaler Parteinahme
erregen müssen. Mir wenigstens erging es so. Und Gerechtigkeit,
verzeihen Sie den parlamentarischen Ausdruck, war mir farcimen-
tum.*[19]
  Bei Thomas Mann kam hinzu, wir sagten es schon, daß im eigenen Bruder selbst das widernationale, das französische Prinzip
inkarniert war. So ist aus der allgemeinen moralischen Situation
aller national gesinnten Schriftsteller, Professoren und Publizisten, und in unserem Falle unendlich verstärkt durch die brü-

derliche Verkettung mit dem antinationalen, »widerdeutschen«
Geist ein Buch entstanden, das zwar vollauf in der Linie der üblichen nationalen Rechtfertigungsschriften der Kriegsperiode
liegt, das aber seine unverwechselbare Eigenart, seinen fast pri-
vaten Charakter, seine intime Handschrift durch den inneren
Konflikt mit dem Bruder erhielt. Die »Betrachtungen« sind darum nicht nur ein *document politique* zur geistigen Situation im
Weltkriege, sondern ein *document humain* im besten Sinne des
Wortes.

─── 3 ───

Politische Betrachtungen einer
verwundeten Künstlerseele

Die »Betrachtungen eines Unpolitischen«, im Jahre 1915 begonnen, wenige Monate vor Ende des Krieges erschienen, sind im Laufe der Jahre so verschiedenartig und widersprüchlich beurteilt worden, daß es not tut, ihren wesentlichen Inhalt zu referieren, um die Voraussetzungen für eine adäquate Beurteilung zu schaffen. Dies erscheint auch darum angezeigt, weil Thomas Mann selbst sich wiederholt zu diesem Buch bekannt und in einer Fülle von rückblickenden Stellungnahmen seine Meinung darüber gesagt hat. Vielleicht kann ein solcher Versuch – so abgekürzt die Interpretation auch sein muß – ein wenig die Mißverständnisse klären, die aufgetreten sind und noch immer auftreten.

Das Buch enthält neben einer Vorrede, die manches von dem zurücknimmt, was in ihm allzu forsch und übertrieben geäußert wird, zwölf Kapitel unterschiedlicher Länge. Wiewohl der Autor den Grundgedanken dieser Kapitel mehr oder weniger treu bleibt, ist es im ganzen nichts anderes als die umfängliche, zähe, mitunter ermüdende Auseinandersetzung mit den Thesen und Anschuldigungen des Zivilisationsliteraten. Ob Thomas Mann *von der Politik* handelt oder *von der Tugend*, ob er *Einiges über Menschlichkeit* sagt oder *Radikalismus und Ironie* einander gegenüberstellt: Es ist immer die grüblerische, durch die Attacke des Zivilisationsliteraten ausgelöste Gewissenserforschung, an der er uns teilhaben läßt, eine Gewissenserforschung freilich, die ebensoviel mit der Kunst, d. i. seinem spezifischen Künstlertum, zu tun hat wie mit dem Gesellschaftlich-Politischen. Die »Betrachtungen« sind der gewaltsame, mit dem Gefühl der Aussichtslosigkeit unternommene Versuch, die Sphäre der Kunst von der Politik zu scheiden, die vom Zivilisationsliteraten so unbefangen in eins gesetzt und dadurch, wie Thomas Mann meint, wechselseitig korrumpiert wurden. Das überlange Werk beginnt mit einem »Der Protest« überschriebenen kurzen Kapitel, in dem (Dostojewski folgend) Deutschland als das seinem Wesen und seiner Sendung nach zum Protest bestimmte Land gezeigt wird, und zwar zum Protest gegen den Westen, gegen Rom und seine Erben, d. h. jetzt: gegen die Entente, gegen die Mächte der »Zivilisation«. Dieser Protest sei wortlos, zumindest, wenn man ihn mit dem Wortüberschwang des römischen Westens vergleiche. _Der römische Westen ist literarisch_, und darum getrennt von der deutschen Welt. Deutschland hingegen ist _das unliterarische Land_ (Kapitel II). Dort, im Westen, wird der politische Geist der bürgerlichen Revolution absolut gesetzt und dieser Geist schickt sich nun, im Weltkriege, an, das renitente Deutschland endlich auch dem _Imperialismus der Zivilisation_ zu unterwerfen.

Der Kampf erscheint unvernünftig, denn was ist Deutschland gegen die es umringende Welt-Entente der Zivilisation? Freilich ist auch die geistige Einheit der großen nationalen Gemeinschaften des Westens nicht von jener Geschlossenheit, die man ihnen zuweilen unterstellt. Es gibt konservative und liberale Engländer, die zwar Verschiedenes meinen, jedoch _einer_ Grundgesinnung sind. In Deutschland hingegen verhalte es sich anders. Dort seien die inneren Gegensätze nicht mehr nationaler, sondern europäischer Art. In Deutschlands Seele würden die geistigen Gegensätze Europas ausgetragen. Dies sei seine eigentliche nationale Bestimmung, der Weg seiner Bildungsgeschichte und seines geistigen Kosmopolitismus. Das gelte nicht nur im allgemeinen, sondern auch für das Individuum, und damit auch für ihn, Thomas Mann, selbst. Schwächlich sei es aber und antinational, diese nationale Bestimmung Deutschlands wegeskamotieren zu wollen, indem man sich einfach französisiere. Wer aus Deutschland etwa eine bürgerliche Demokratie im westlichen Sinne und Geiste zu machen wünsche, der würde dem deutschen Wesen sein

Bestes und Schwerstes, nämlich seine Problematik, nehmen und es *langweilig, klar, dumm und undeutsch* machen. Genau dies Geschäft aber betreibe in Deutschland *der Zivilisationsliterat* (Kapitel III). Er, Thomas Mann, hüte sich allerdings, diesen Geist undeutsch zu nennen, denn das Deutsche sei ein Abgrund und bodenlos, aber das Wünschen und Wollen dieser Intellektuellen laufe auf die Vereinheitlichung Deutschlands mit der Weltzivilisation, auf die Abschaffung seiner »Besonderheit« und damit auf die »Entdeutschung« hinaus.

Der radikale Literat, der mit Leib und Seele zur Zivilisation gehöre, habe es gut gehabt, als bei Kriegsausbruch die demokratische öffentliche Meinung der Welt gegen Deutschland losgelassen wurde: *Ihn traf es nicht – er nahm sich ja aus, er gab den anderen recht; was sie sagten, hatte er, wörtlich, schon längst gesagt.* Seine Liebe und Leidenschaft sei bei den Truppen der westlichen Verbündeten; für Deutschland schlage sein Herz nur sehr indirekt, in dem Sinne nämlich nur, daß er mit seines Herzens ganzer Inbrunst Deutschlands Niederlage wünsche. Er wünsche diese Niederlage ihrer geistigen Bedeutung und Folgen wegen, denn der Sieg der Entente wäre der Sieg der Literatur für Deutschland und Europa, und wäre somit auch sein Sieg.

Trotz seiner aggressiven Charakterisierung des Zivilisationsliteraten gesteht Thomas Mann: *Meine Auflehnung ist sehr merkwürdig ... denn die Tatsache besteht, daß mein eigenes Sein und Wesen sich zu dem des Zivilisationsliteraten viel weniger fremd und entgegengesetzt verhält, als die kalt objektive Kritik, die ich dem seinen zuteil werden ließ, glauben machen könnte ... Was will er? Und wenn ich es nicht will – warum will ich es nicht? ... Er will und betreibt eine Entwicklung – die ich für notwendig, das heißt: für unvermeidlich halte; an der ich meiner Natur nach unwillkürlich in gewissem Grade teilhabe; der zuzujauchzen ich aber gleichwohl keinen Grund sehe ... Man kann einen Fortschritt sehr wohl als unvermeidlich und schicksalsgegeben betrachten, ohne im mindesten gestimmt zu sein, mit Hurra und Hussa hinterdrein zu hetzen ... Der Fortschritt hat alles für sich. Nur scheinbar ist er die Oppositi-*

*on. Der erhaltende Gegenwille ist es, der in Wahrheit immer und
überall die Opposition bildet, der sich in der Verteidigung befindet,
und zwar in einer, wie er genau weiß, aussichtslosen Verteidigung.*
Die Positionen sind also geklärt. Thomas Mann sieht, daß sich
die Zivilisation auf die Dauer nicht aufhalten läßt, auch Deutschland mit ihren Segnungen zu überziehen. Doch er stemmt sich
dagegen. Der Propagandist dieses zivilisatorischen Fortschritts
ist für ihn der Zivilisationsliterat, der die *Politisierung, Literari-
sierung, Intellektualisierung und Radikalisierung Deutschlands*
betreibt, und damit seine Entdeutschung. *Und an all diesem
Unfug sollte ich teilhaben?*

Doch bevor in den späteren Kapiteln das entschlossene und
verzweifelte Nein differenzierter und genauer artikuliert wird,
hält der Verfasser der »Betrachtungen« noch einmal *Einkehr* (Kapitel IV), um sich in aller Gewissenhaftigkeit zu prüfen, wie weit
er selbst von westlichem Geist erfüllt ist. Er weiß, er ist nicht frei
davon, denn intim und exklusiv Deutsches habe ihm niemals
genügt, und künstlerisch beginne seine Liebe zum Deutschen
genau dort, wo es jedem Europäer zugänglich werde. Thomas
Mann schildert seine geistige Abkunft von Schopenhauer, Nietzsche und Richard Wagner; er analysiert seine eigenen Werke, um
auch an ihnen manches zu entdecken, was ihm in Geist und Stil
westlich zu sein dünkt. Er schämt sich dessen auch nicht, und er
weiß sehr wohl, daß man teil hat an der Tendenz zur intellektua-
listischen Zersetzung, wenn man über die Ironie hinaus zur Parodie Zuflucht nimmt, wie etwa im Fragment der Memoiren des
Hochstaplers Felix Krull. Endet diese Einkehr also mit der Ver-
gewisserung, selbst teilzuhaben am literarischen Treiben, und
auf diese Weise einst dem Zivilisationsliteraten mit Recht Hoffnungen erweckt zu haben, so ist das folgende Kapitel *(»Bürgerlichkeit«)* der Versuch, zu erklären, warum es doch nicht zur Erfüllung solcher Hoffnungen kommen konnte.

Thomas Mann hat nämlich *ein dunkles Gefühl,* seine den Zivilisationsliteraten so stark enttäuschende und empörende Haltung im Kriege habe etwas mit seiner Bürgerlichkeit zu tun. Er

empfindet sich als ein bürgerlicher Schriftsteller. Das Wort *Bürger* gilt ihm etwas, während es im Munde der radikalen Literaten und Intellektuellen zum Schimpfwort verderbt worden sei. Der *Bürger* sei mitnichten der Bourgeois, den die Romantiker einst Philister zu nennen liebten. Der Philister sei in der Tat ein Spießbürger und nichts als ein Staatsbürger. Daneben gebe es jedoch ein *geistiges* Bürgertum in Deutschland, das überzeugt sei, daß die Bestimmung des Menschen nie im Staat aufgehe und die Politik den Menschen nicht menschlicher mache. Vielmehr habe dieses geistige Bürgertum in Deutschland einen Typus des bürgerlichen Künstlers hervorgebracht, *eine legitime Mischung von Bürgerlichkeit und Artistik*, in deren Tradition Thomas Mann sich empfindet. In der ethisch-pessimistischen Luft dieser geistigen Deutsch-Bürgerlichkeit werde man als Künstler freilich nicht zum Ästheten, sondern zum Moralisten erzogen, und immer habe er sich als Moralist gefühlt. Der deutsche Geist, so folgert Thomas Mann extrem, sei auf eine besondere Weise bürgerlich, ebenso die deutsche Bildung; die deutsche Bürgerlichkeit sei human, *woraus folgt, daß sie nicht, wie die westliche, politisch ist, es wenigstens bis gestern nicht war, und es nur auf dem Wege ihrer Enthumanisierung wird.*

Thomas Mann sympathisiert nicht allein mit den freundlichen Gestalten des bürgerlichen Biedermeier, er achtet und ehrt auch die bürgerlichen Demokraten der 48er Revolution, die national gewesen seien, indem sie Demokraten waren, während heute Demokratie in Deutschland nur ein anderes Wort für *kosmopolitischen Radikalismus* sei.

Man beachte wohl: nicht die Demokratie als solche ist ihm *Gift und Operment*, sondern nur eine bestimmte ihrer geistigen Entfaltungsformen, eben die des Zivilisationsliteraten. Der totalen Politisierung, die jener advoziert, stellt Thomas Mann das Bild des geistigen deutschen Bürgers entgegen, des romantischen Individualisten, und er wirbt für die Wiederherstellung des Bürger-Begriffes in seiner Reinheit und Würde. Denn da ist ja auch der Bourgeois, – er übersieht es nicht – der *harte Bürger*, wie Thomas

Mann ihn verdolmetscht. Er scheint das Leben im kaiserlichen
Deutschland nachgerade zu bestimmen, und Thomas Mann
weiß gut genug, daß auf diesen Typus des degenerierten Bürgers,
des Bourgeois und Philisters, die freundlichen und vollen Attri-
bute nicht zutreffen, die er dem geistigen Bürger zugedacht.
Darum fragt er sich mit Recht: *Sollte ich die Verwandlung des
deutschen Bürgers in den Bourgeois etwa verschlafen haben, vertei-
dige ich also etwas, das gar nicht mehr ist?* Obwohl er meint, jene
Verwandlung »ein wenig« verschlafen zu haben, gilt ihm doch
die Verteidigung seines bürgerlichen Lebens- und Kunstideals als
notwendig und sinnvoll. Auch glaubt er, den Bürger in seiner
Modernität dichterisch schon erfaßt und gestaltet zu haben, und
er erkennt, daß sein Patriotismus der »Gedanken im Kriege«
ganz *wesentlich eine plötzliche und wohl recht vorübergehende* Politisierung dieser seiner Sympathie für den Bürger war.

Der Autor glaubt, an der patriotischen Ergriffenheit der Augusttage nur vorübergehend teilgehabt zu haben; dennoch meint
er seine zwei bis drei Kriegsschriften[20] gegen die kritischen Angriffe rechtfertigen zu müssen. Das geschieht im Kapitel »*Gegen
Recht und Wahrheit*«, vom Verfasser selbst zwischen Anfüh-
rungszeichen gesetzt, weil der Titel dem Zola-Essay des Bruders
entnommen ist. Ist dort die Polemik gegen Romain Rolland, der
ihn ob seiner »Gedanken im Kriege« kritisiert hatte, schon bösartig und schneidend, so überschlägt sie sich fast in den Angriffen gegen den Zivilisationsliteraten: *Rolland schalt und klagte mit
heftigen Worten, aber er zischte nicht… Es war der deutsche Zivilisationsliterat, der mir das Giftigste und Erniedrigendste gesagt hat.*

In diesem Kapitel finden sich denn auch einige der schärfsten
Wendungen gegen den Bruder, die Thomas später, in einer »ge-
reinigten« Version der »Betrachtungen«, unterdrückte.

Die Auseinandersetzung mit dem Bruder setzt sich fort im Kapitel *Politik*, dem bei weitem längsten des ohnehin langen Buches. Thomas Mann geht bekanntlich davon aus, daß die deutsche Kultursphäre, die Sphäre deutscher Bürgerlichkeit, eine
unpolitische sei, unpolitisch jedoch nicht in dem Sinne, daß sie

die Politik als soziales Handeln der Gemeinschaft nicht kennt, sondern unpolitisch im Sinne des Zivilisationsliteraten. Für diesen besteht offenbar die Notwendigkeit, alles Menschliche politisch zu durchdringen und zu rechtfertigen. Doch Thomas Mann hält ihm, zu Recht, entgegen, der Mensch sei nicht nur ein soziales, sondern auch ein metaphysisches Wesen. Er könne und dürfe nicht aufgehen im Staat, wenn er menschlich leben wolle, denn wichtige Teile des Menschengeistes: Religion, Philosophie, Kunst, Dichtung, Wissenschaft, sie alle stünden neben, außer dem Staate, ja oft genug gegen ihn. Werde die Herrschaft der Politik als Demokratie, als allgemeines Glückspathos erst einmal allgemein, dann werde es nichts mehr geben, *kein Denken, Schaffen und Leben,* woran Politik nicht Anteil hätte. Unbedingt aber müsse man das geistige Leben, – und das sei identisch mit dem nationalen Leben – vom Politischen trennen. *Deutschland als Republik, als Tugendstaat mit Gesellschaftsvertrag, demokratischer Volksregierung und vollständigem Aufgehen des Individuums in der Gesamtheit; Deutschland als Staat und nichts weiter und der deutsche Mensch als Jakobiner und citoyen vertueux mit dem Zivismusschein in der Tasche – das wäre der Schrecken!* Thomas Mann will den Menschen als (aristokratische) Persönlichkeit, nicht als (demokratisches) Individuum gewertet wissen. Das Politische sei jedoch die Sphäre des Individuums und nicht der Persönlichkeit. Die Politik mache roh, pöbelhaft und stupid. Neid, Frechheit und Begehrlichkeit sei alles, was sie lehre. *Ich will nicht die Parlaments- und Parteiwirtschaft, welche die Verpestung des gesamten nationalen Lebens mit Politik bewirkt. Ich will nicht, daß Dreyfus aus Politik verurteilt und aus Politik freigesprochen werde … Ich will nicht Politik. Ich will Sachlichkeit, Ordnung und Anstand.* Demokratie jedoch, so fürchtet Thomas Mann, bedeute schlechthin Herrschaft der Politik, und Politik wiederum bedeute ein Minimum an Sachlichkeit.

Trotz dieser durch die simple Identifizierung von Politik und Demokratie charakterisierten antidemokratischen Lehrstücke schreibt Thomas Mann dann, er bekämpfe gar nicht die Demo-

kratie; er wisse, daß manches in unserer staatlichen Ordnung mit
der Zeit zur Unordnung geworden sei, und daß aus den demokratischen Institutionen der allgemeinen Wehr- und Schul-
pflicht auch gewisse Folgerungen zu ziehen seien. *Der* Staat
müsse zu Fall kommen, der sich sperre, die Wirklichkeit anzuerkennen. Er lehne sich darum gar nicht gegen die zweifelsohne auf
uns zukommende deutsche Demokratie auf, von der er hoffe,
daß sie in leidlich deutscher Gestalt in Erscheinung treten werde,
sondern allein gegen jene geistige Haltung des Zivilisationsliteraten, gegen die selbstgerechte und tyrannische Hartnäckigkeit,
mit der dieser verkünde, jedes Talent müsse verdorren, das sich
nicht eilends auf seine pathetische demokratische Heilslehre ver-
pflichte. Politik, richtige Politik, sei wie die Kunst ein Vermittelndes, darum sei der Radikalismus in ihr ein Unfug.

Thomas Mann ist also durchaus für Reformen in demokrati-
schem Sinne zu haben, aber er verabscheut den Dünkel und
Hochmut des Zivilisationsliteraten, der die Wahrheit über den
richtigen Weg des Fortschritts und der Zukunft allein zu besitzen
vorgibt. Die Angst Thomas Manns vor der Demokratie ist die
Angst vor der totalen Demokratie im Sinne des »Belles-lettres-
Politikers«, jenes Literaten also, der mit rhetorischem Aufwand
das Bild einer von Gerechtigkeit und Menschenliebe durchflute-
ten demokratischen und friedliebenden Gesellschaft verkündet.
Thomas Mann will nicht die Demokratie als doktrinären Selbst-
zweck, sondern nur als Mittel, und zwar als Mittel zur aristokratischen Auslese im Staatsinteresse. Thomas Mann ist für die Freiheit und gegen die mechanische Gleichheit. Er möchte das
landfremde und abstoßende Schlagwort demokratisch ersetzt wissen durch volkstümlich – und damit, so meint er, erfasse man das
genaue Gegenteil. »Volksstaat« ist darum auch eine Vorstellung,
die dem Autor weit heimeliger und freundlicher anmutet als Demokratie; nichts gegen den Volksstaat, aber alles gegen die totale
Demokratie.

Die brüderliche Empörung richtet sich freilich nicht nur
gegen die kühnen und französisch-revolutionären Ambitionen

des Belles-lettres-Politikers. Thomas Mann hat antidemokratische Vorurteile, die er nicht verschweigt. Er unterscheidet Volk und Masse und begreift jenes als eine mythisch-mystische Einheit, so daß er sagen kann: Der Wille des Volkes könne ein anderer sein als der der Summe der Masse. Der Wille eines historisch aufsteigenden Volkes sei eins mit seinem Schicksal. Befrage man heute, so fährt er zum Beweis seiner These fort, im dritten Kriegsjahr, das Volk, so würde sich mit kläglicher Wahrscheinlichkeit eine erdrückende Majorität zugunsten eines sofortigen, bedingungslosen d. h. aber ruinösen Friedens ergeben. Damit jedoch sei das Prinzip der Abstimmung ad absurdum geführt, denn dies sei mitnichten der Wille des Volkes.

Dennoch erscheint ihm die Gewährung des allgemeinen und gleichen Stimmrechts im damaligen Preußen des Dreiklassenwahlrechts als ein Gebot der praktischen Vernunft. Der Unterschied von Geist und Politik sei nach kantischer Art wie der Unterschied der reinen von der praktischen Vernunft. Darum dürfe man die Bedeutung der äußeren Rechtsordnung nicht überschätzen und könne auch als geistiger Mensch heute eine demokratische Staatstechnik befürworten, wenn auch in der stillen Zuversicht, daß der deutsche Volksstaat etwas anders aussehen werde als die Demokratie des »rhetorischen Bourgeois«.

Der Begriff der Demokratie, so sagt der Autor einmal, schillere in vielen Farben. Er tut es auch bei ihm. Die »Betrachtungen« richten sich in ihrem Kern allein gegen den Demokratiebegriff des Zivilisationsliteraten, und für diesen gilt auch die Identifizierung mit der Politik. Dessenungeachtet bleibt ihm das Mißtrauen gegen den Volkswillen und gegen Volksherrschaft. Denn in Wahrheit sei das Volk ein Wesen, das weder herrschen könne, noch sich beherrschen lasse, und das sei nicht erst seit heute so.

Thomas Mann hätte es wohl nicht als notwendig empfunden, so scharf gegen die weltanschaulich-politischen Vorstellungen seines geistigen Widersachers anzugehen, sähe er in ihnen nicht ein besonders gefährliches geistiges Prinzip lebendig, *die Tugend* (Kapitel VIII) als vertu Robespierres. Sie ist es, die den »Tugendpolitiker« im Stande des ewigen Rechthabens beläßt und ihn zur Ächtung und Ausstoßung anderer Geister treibt. Sie ist am Grunde der tendenziösen Vereinfachung, die er sich beständig zuschulden kommen läßt. Moral aber sei etwas ganz anderes als jene Art Tugend, und der Moralist sei dem Tugendhaften überlegen, denn er sei dem Gefährlich-Schädlichen offen. Wenn er, Thomas Mann, auch das geistige Mittel des Fortschritts, die Aufklärung, zu schätzen willig sei, so gehöre seine Liebe doch dem niemals Aufzuklärenden. Man könne nicht Künstler sein ohne den Zweifel, ja ohne die Sünde. Sie seien jedenfalls fruchtbarer und menschlich befreiender als die Tugend des Wahrheitsphilisters. Dessen Tugendhaftigkeit sei die Absage an die *Sympathie mit dem Tode* und die optimistische, selbstsichere Parteinahme für das »Leben«.

Der Zivilisationsliterat rede immerzu *von Menschlichkeit* (Kapitel IX), doch es sei albern zu glauben, daß unter einer Republik menschenwürdiger gelebt werde als unter einer Monarchie. Seine Ideen liefen hinaus auf *eine moralische Verkitschung der Welt und des Lebens*; Sache des Künstlers sei es dagegen, *dem Leben die schweren, todernsten Akzente zu erhalten*. Das Wesentliche des Lebens, das Menschliche, könne vom Politischen gar nicht berührt werden, und kein Erlebnis sei vermögender, das Politische außer Betracht zu setzen, als das Erlebnis des Ewig-Menschlichen durch die Kunst. Der Zivilisationsliterat begreife nur abstrakt, was dem Menschen in concreto nichts nütze. Die Liebe zum Menschen in seiner individuellen Gestalt, sie sei das Wesentliche. Menschliche Demokratie sei darum eine Sache des Herzens und nicht der Politik, sie sei Brüderlichkeit und nicht Freiheit und Gleichheit. Gleichheit sei jene Höflichkeit des Herzens, welche der Liebe nicht nur verwandt sei. Die reklamehafte Art von Menschlichkeit jedoch, welche der Literat verkünde, sei nur abgezogen und fern jeder *religiösen Menschlichkeit und duldsamen Geistigkeit*, welche das zukünftige Europa nötig habe.

Redet der Zivilisationsliterat immerfort von Menschheit und Menschlichkeit, so spricht er kaum minder häufig *vom Glauben*

(Kapitel X). Doch ist sein Glaube laut Thomas Mann der Glaube an abstrakte Grundsätze, an Worte wie Freiheit, Gleichheit, Demokratie und Zivilisation. Das aber sei nicht wahrer Glaube; wahrer Glaube sei keine Doktrin und keine rednerische Rechthaberei, sondern im letzten Glaube an Gott, und somit der Glaube an die Liebe, an das Leben und an die Kunst. Den Glauben an abstrakte Prinzipien der Politik verabscheut Thomas Mann: *Ich hasse die Politik und den Glauben an die Politik, weil er dünkelhaft, doktrinär, hartstirnig und unmenschlich macht.*

Das persönliche Ergebnis solchen Glaubens an Grundsätze sei der pfäffische Dünkel, durch den Glauben etwas Besseres zu sein, verbunden mit beständiger Aggressivität gegen die »Elenden«, welche nicht glauben.

Der Zivilisationsliterat gebe sich außerdem das Air des Moralisten und schimpfe ihn, Thomas Mann, einen »ruchlos schmarotzenden Ästheten«. Doch wenn er, Thomas Mann, in seinem Buche den Gegensatz von politisierter und ästhetizistischer Kunst vorübergehend sich angeeignet habe, so stehe es in Wahrheit doch anders damit. Man müsse nämlich nicht Ästhet sein, wenn man nicht an die Heilswirkung der Politik glaube, und man könne gerade als Verkünder entschlossener Menschenliebe ein Erz-Ästhet geblieben sein (Kapitel XI: »*Asthetizistische Politik*«). Solche Ästhetenpolitik sei kein deutsches, sondern ein echt romanisches Gewächs; man brauche nur an d'Annunzio zu denken. Der deutsche Belles-lettres-Politiker huldige im übrigen einem exotistischen Ästhetizismus. Für ihn sei Frankreich, die Heimat seiner Seele, keine Wirklichkeit, sondern eine Idee. An dieser Idee messe er aber nun die deutsche Wirklichkeit. *Das ist absurd ... das ist toll!* Der Geistespolitiker behaupte die Identität von Politik und Moral und verneine jede Moralität, die der Frage des Menschen auf anderem Gebiete nachgehe als dem der Politik. Er schimpfe Ästhetizismus, was nicht Politik sei, und maße sich an, deutsches Leben mit feindlichem Auslandsgeist zu schulmeistern. In Wirklichkeit sei er ein Ästhet reinsten Wassers. Seine Lebenswidrigkeit habe Scham, Selbstbezweiflung und Ironie ver-

lernt, und seine Selbstgerechtigkeit schreie zum Himmel. All dies
sei pures Ästhetentum und hysterische Demokratie.

Das Buch endet mit der Gegenüberstellung von »*Ironie und
Radikalismus*« (Kapitel XII), jenen beiden Geisteshaltungen, deren Aufeinanderprallen zu der umfänglichen Auseinandersetzung Anlaß gegeben hatte und deren Scheidung und einseitige
Rechtfertigung das große Thema des Buches ist. Dem Gegensatz
von Ironie und Radikalismus entspreche im Politischen der von
konservativ und demokratisch. Ironie wird dabei als *Beschei-
denheit und rückwärts gewandte Skepsis* verstanden. *Der deutsche
Geist war konservativ von je und wird es bleiben, sofern er nämlich er selbst bleibt und nicht demokratisch, das heißt abgeschafft
wird.* Diese Ironie ist jedoch eine Ironie nach beiden Seiten hin, sie
gilt dem Leben wie dem Geist. Darum findet sich der Ironiker in
einer dialektischen Position, weil er weder absolut auf den Geist
noch absolut auf das Leben setzt, sondern ihr verwickeltes Zu-
sammenspiel will. Ironie und Konservativismus sind nahe verwandte Stimmungen. *Man könnte sagen, daß Ironie der Geist
des Konservativismus sei, – sofern dieser nämlich Geist hat, was
selbstverständlich ebensowenig die Regel ist, wie im Falle des Fortschritts und des Radikalismus.* Und dann jene überraschende Stelle: *Konservativ? Natürlich bin ich es nicht; denn wollte ich es mei-
nungs-weise sein, so wäre ich es immer noch nicht meiner Natur
nach, die schließlich das ist, was wirkt. In Fällen wie meinem be-
gegnen sich destruktive und erhaltende Tendenzen, und soweit von
Wirkung die Rede sein kann, ist es eben diese doppelte Wirkung, die
statthat.*

Einige dieser Blätter, so schreibt Thomas Mann gegen Ende seines langen Berichtes über einen quälenden inneren Kampf, *sind
schön; es sind die, wo Liebe sprechen durfte. Dorthin, wo Hader und
bittere Scheidung herrscht, werde ich nie wieder blicken. Aber wahr
ist, daß ungerechte Ehrenkränkung dort abgewehrt wurde, die wiederum nur ein Abbild der großen war, die ein Volk von einer ganzen
wortkundigen Welt erfuhr.*

Soweit der gedankliche Inhalt der »Betrachtungen«. Ist es notwendig zu betonen, daß sie in Wahrheit unendlich viel reicher, nuancierter, künstlerischer sind, als dieser gedankliche Abriß des Buches erahnen läßt? Und doch scheint uns obiger Versuch von Nutzen, weil wir erst vor dem Hintergrund dieser Skizze den Streit um dieses Buch und die gedankliche Fortbildung seines Autors richtig zu würdigen vermögen. Thomas Mann selbst will die »Betrachtungen« nicht als Kunstwerk gelten lassen. Ein *Künstlerwerk* nennt er sie, das *Erzeugnis einer gewissen unbeschreiblichen Irritabilität gegen geistige Zeittendenzen.* Diese Reizbarkeit, künstlerisch zuweilen von Vorteil, zeitige bei ihm auch den Hang, unmittelbar polemisch auf solche Reize zu reagieren. Es sei eine literarische Streitbarkeit oder Streitsucht, die auf dem Bedürfnis nach Gleichgewicht beruhe und eben darum zur erbosten Einseitigkeit nur allzu entschlossen sei. Die Schrift besitze die Hemmungslosigkeit privatbrieflicher Mitteilung und biete nach seinem besten Wissen und Gewissen die geistigen Grundlagen dessen, was er als Künstler zu geben habe und was somit auch der Öffentlichkeit gehöre.

Thomas Mann war in der Stunde des Krieges von dem Trauma heimgesucht, die Musik als Sinnbild des Deutschtums vergehe vor der Zivilisation wie Nebel vor der Sonne. Wenn er von Fortschritt spreche, so versichert er in der Vorrede, so meine er allein diesen Fortschritt von der Musik zur Zivilisation, und der Konservativismus seines Buches sei nur Opposition in dieser Beziehung. Es verneine den Fortschritt überhaupt, um jedenfalls *diesen* Fortschritt zu verneinen. Sein Anrennen gegen die »Tugend«, gegen den »Glauben«, gegen eine gewisse Art von Menschlichkeit geschehe nur, um diesen Fortschritt aufzuhalten, den Fortschritt von der Musik zur Politik. Doch zugleich fragt er in sich hinein: *Sollte ich Elemente, die dem ›Fortschritt‹ Deutschlands Vorschub leisten, in meinem eigenen konservativen Innern hegen? ... Mein Schriftstellertum also wäre es, was mich den »Fortschritt« Deutschlands an meinem Teile – noch fördern ließe, indem ich ihn konservativ bekämpfe?*[21]

Kein Zweifel, daß dieses Buch seinem Verfasser zur Galeeren-fron[22] geworden ist. Wie hoffte er auf den Tag, an dem er, von Politik gereinigt, wieder als Künstler würde wirken, Leben und Menschlichkeit würde anschauen können! Indes, die Gewissenserforschung in persönlich-politischen Dingen vermochte er von nun an nicht mehr aus seinem literarischen Auftrag zu verbannen. Und es war auch klar: Wer einmal mit einem solchen Werk an die Öffentlichkeit getreten war, dem hätte es schlecht angestanden, von nun an für immer in solchen Dingen zu schweigen. Er mußte sein Wort sagen, und er mußte es um so mehr, als er seine Meinungen änderte.

4

Literarische Politik

Sind die »Betrachtungen« eigentlich ein politisches Buch? Sie sind es, doch auf eine sehr ungewöhnliche Weise. Sie handeln zwar immer von Demokratie und Politik und nehmen vehement gegen beide Stellung, aber was ist eigentlich darin Politik und Demokratie? Ein teuflisches Schreckgespenst in Gestalt eines radikalen geistigen Prinzips, das frisch aus der Retorte französischer Revolutionsrhetorik übernommen, nun den Deutschen als absolut wirksames Gesundungsmittel angeboten wurde. Im Protest Manns gegen die Demokratie, welche, – man beachte wohl – in diesem Buch nie als politische Verfassungsform und Lebensrealität eines demokratischen Volkes, sondern immer nur als Geistesform, als Fortschritts-Radikalismus begriffen wird, schwingt der Protest gegen den Pragmatismus und Rationalismus, gegen den seichten Optimismus der Vernunft, gegen den Positivismus mit, gegen Dinge also, die abzulehnen man gute Gründe haben kann, ohne damit politisch reaktionär sein zu müssen. Thomas Mann erscheint in seinen »Betrachtungen« tatsächlich reaktionärer, als er ist, und zwar einfach dadurch, daß er seine politischen Begriffe dem Vokabular der Zivilisationsliteratur entnahm. Weil der Bruder die »Demokratie« wollte, sein geistiges Gebaren jedoch ganz der radikalistischen Manier hingegeben und ihren Prämissen verschrieben war, darum sah er im politischen Traumziel Heinrichs zugleich die unausweichliche Heraufkunft all jener Erscheinungen flachen Zivilisationsgebarens, die zu bekämpfen Thomas Mann gute Gründe hatte. Es gäbe keine »Betrachtungen« ohne die brüderliche Auseinandersetzung. Thomas Mann ist durch seine Gebundenheit an die gei-

stige Vorlage Heinrichs zu Positionen getrieben worden, die seiner eigenen Natur nach gar nicht durchzuhalten waren. Er war
immer ein dem Wahren zugänglicher Geist, nicht doktrinär ver-
härtet, und sagte auch in den »Betrachtungen«, er wolle sich nie
mit einer Wahrheit zur Ruhe setzen, um für den Rest seines Lebens davon zu zehren, Auch wußte er sehr gut, daß alle Wahr-
heiten Zeit-Wahrheiten sind, und in anderen Zeitsituationen
und Konstellationen eine verwandelte Gestalt anzunehmen vermögen, ohne deshalb von vorne herein Unwahrheiten gewesen
zu sein. Die politische Problematik der »Betrachtungen« liegt
also im wesentlichen im *brüderlichen Welterlebnis.* Als er sie nie-
derschrieb, hatte Thomas immer Heinrichs »zelotische Suade«
wie ein rotes Tuch vor Augen. Die »Betrachtungen« sind eine rie-
sige, nicht endenwollende Replik auf Heinrich. So kam es, daß
Thomas' Argumentationen *in politicis* ganz auf die Thesen des
Bruders abgestellt waren. Dort hatte die Idee der Demokratie ein
revolutionäres, geistig-radikales Gepräge, und sie hatte mit dem
konkreten Verfassungsleben der westlichen Staaten kaum mehr
zu tun als die verzweifelte Verteidigungsschrift national-deut-
scher Bürgerlichkeit mit Wilhelms II. imperialer Herrlichkeit.
Heinrich wähnte, daß man richtige Ideen, glaubte man nur stark
genug an sie, auch in die Wirklichkeit umsetzen könne. Thomas
erschrak vor solcher Wirklichkeit, wiewohl sie nur Literatur war,
und sein Angriff dagegen blieb ebenso ein Stück Literatur. Das
heißt aber, der weltanschauliche Bruderkampf ging gar nicht so
sehr um politische Wirklichkeiten als um politische Utopien. Es
war eine rein geistige Auseinandersetzung, die von einer Kenntnis der Wirklichkeit ziemlich unberührt blieb. Es war literarische
Politik.

In einem Punkt allerdings, der Verunglimpfung des wilhelminischen Obrigkeitsstaates, vermochte Thomas seinem Bruder
entgegenzutreten: dieser Obrigkeitsstaat, den Thomas Mann
gleichwohl in den »Betrachtungen« nie verhimmelt hat, war in
Wirklichkeit nicht jene unmenschliche Regierungsmaschinerie,
als welche er in den Schriften des Bruders erschien. Gewiß, er

hatte seine befremdenden Seiten, und Thomas gab zu, daß sich
künftig einiges würde ändern müssen, aber als *Künstler* hatte er
in ihm nicht zu leiden gehabt. Die Kunst, so glaubte Thomas
Mann, war in ihm freier, als sie es in der auf *eine* politische Doktrin festgelegten demokratischen Republik sein würde; der Zivilisationsliterat, würde er einmal die Macht besitzen, seinen geistigen Anschauungen die Herrschaft zu sichern, ginge trotz
seiner humanitären Parolen weit unduldsamer und rigoroser
gegen die geistigen Widersacher vor als das obrigkeitsstaatliche
Regime gegen seine geistigen Feinde. Denn aller Radikalismus, –
und Heinrich war radikal, – ist unduldsam. Und hatte Thomas
Mann so ganz unrecht, wenn er meinte, daß der vielgelästerte
Obrigkeitsstaat den Deutschen viel eher entspreche als die politische Demokratie, wo doch die auf den Weltkrieg folgenden
Jahre deutlich genug zeigen sollten, wie wenig sich das deutsche
Volk mit der Demokratie anzufreunden vermochte?

Wie aber kam es, daß dieses Buch trotz vieler so richtiger Ein-
sichten doch eine reaktionäre Grundtendenz besitzt, die sich
nicht wegdisputieren läßt? Es liegt an der Ausgangsposition.
Thomas Mann hätte nicht zu diesen, den Leser ständig verwirrenden Behauptungen gefunden, wie z. B. die Demokratie sei
grundsätzlich widerdeutsch, hätte er sich nicht von den Argu-
menten seines geistigen Widersachers so aufwühlen, verletzen
und peinigen lassen, daß ihm nur noch die Einseitigkeit des radikalen Gegenbeweises zu Gebote stand.

Liest man das Buch genau, so bemerkt man sehr wohl, daß es
nur jenes radikal-literarische Abziehbild der Demokratie ist, das
ebenso radikal abgelehnt und verhöhnt wird. Da aber diese Karikatur nach dem Willen des Zivilisationsliteraten in Deutschland Wirklichkeit annehmen sollte und gewisse Entwicklungsli-
nien dahin auch bereits feststellbar waren, verrannte sich
Thomas in eine wilde Polemik gegen ein quasi-abstraktes Ge-
dankengebilde. Ihm den Kampf anzusagen, bestand ein gewisses
Recht, denn nimmt man Thomas Manns Interpretationen des
Zivilisationsliteraten ernst, so hat man guten Grund, den radika-

len Tugendstaat und das, was da als Republik bei uns Herrschaft gewinnen sollte, mit einiger Sorge zu betrachten und sich dabei guten Gewissens konservativ zu fühlen. Gefährlich und problematisch war es jedoch, den Deutschen die Demokratie um jeden Preis dadurch vergällen zu wollen, daß man sie als abstraktes Schreckgespenst an den politischen Himmel malte. Denn das waren keine ernstzunehmenden politischen Alternativen. Die geistigen Vorstellungen des Zivilisationsliteraten waren ebensowenig identisch mit den politischen Ideen der Sozialdemokraten und des Zentrums, die zaghaft auf die Demokratisierung drängten, wie der Konservativismus Thomas Manns mit den Ideen der Preußisch-Konservativen und säbelrasselnden Alldeutschen. Insofern war es ein Geisterkampf in der Luft, den Thomas Mann seinem Bruder lieferte. Aber indem er ihn vor aller Öffentlichkeit austrug, wurde er zu einem Politikum, und der Autor mußte politisch eingestuft werden. Wer machte sich schon die Mühe, genau zu analysieren, gegen welche Art von Demokratie Thomas Mann sich empört gewehrt hatte: er war gegen die Demokratie, und damit basta. Und seine »Betrachtungen« konnten fortan als eine hochkünstlerische und gedankenreiche antidemokratische Schrift ihren politischen Weg machen. Viele der Weimarer Antidemokraten, die Thomas Manns späteres Bekenntnis zur Republik unverständlich und enttäuschend fanden, da man kaum je eine vergleichbare politisch-literarische Abhandlung gelesen hatte, die sich bei höchstem Niveau vehementer und polemischer gegen die Demokratie richtete, bewahrten ihm wenigstens für die »Betrachtungen« ihre Wertschätzung und Anerkennung, wie z. B. der vielgelesene antidemokratische Publizist Edgar Jung.[23]

Thomas Mann merkte indes sehr bald, daß er durch die »Betrachtungen« ins reaktionäre Lager abzurutschen drohte, was ihm wenig angenehm war. Dort fühlte er sich nicht zu Hause. Er war ja gar nicht das, wofür man ihn vielfach hielt. Er war Antidemokrat gegen die radikalistische Demokratie, nicht aber gegen jede Demokratie schlechthin. Da er sich aber in seinen »Betrachtungen« als wilder Antidemokrat gebärdet hatte, ohne daß man genügend beachtete, wogegen sich im einzelnen seine Auflehnung richtete, war er abgestempelt. Max Rychner hat in einer Studie über »Thomas Mann und die Politik«[24] von den »Betrachtungen« als einer großen »Unzeitgemäßen« gesprochen, und Thomas Mann wollte es im Rückblick selber so scheinen, als sei das Buch zur Unzeit erschienen.

Das stimmt insofern, als die leidenschaftliche Verteidigung der deutschen konservativ-bürgerlichen Tradition zu einem Zeitpunkt erschien (Frühjahr 1918), als das Reich seiner Niederlage und damit dem Ende der Monarchie entgegenging. Das, was verteidigt werden sollte, war also bereits im Fallen begriffen, und nutzlos schien der enorme Aufwand, wo die Schlacht bereits zugunsten der Welt-Entente der Zivilisation so gut wie entschieden war. Dennoch hat man das Buch, das in der Weimarer Zeit seine eigentliche Verbreitung fand, nicht als von den Zeitläuften überholt empfunden. Überholt wurde es nur biographisch, vom Autor selbst, der vier Jahre später sein überraschendes Bekenntnis zur deutschen Republik ablegte. In der Weimarer Zeit selbst gab es nicht wenige, die mit dem Literaturhistoriker Havenstein der Meinung waren, daß die »Betrachtungen« ein wunderbares Arsenal von geistigen Waffen enthielten, das sich zum Kampf gegen unsere alten Feinde sehr wohl gebrauchen ließe. Das Buch könne den vaterländischen Trutz und Glauben stärken.[25]

Wenn es das konnte, so hätte also Thomas Mann selbst auf maßgebliche Weise daran mitgewirkt, daß den Deutschen der Beruf zur Politik verleidet und sie in ihrer reaktionären antipolitischen Gesinnung bestärkt wurden? So wäre er also, wie das auch tatsächlich geschehen ist, den geistigen Widersachern der Demokratie und Republik und damit auch jenen zuzurechnen, die durch ihre geistige Opposition willentlich oder unwillentlich zu Wegbereitern des Nationalsozialismus wurden, dem sie einen Teil der Ideen geliefert haben? Es ist nicht zu leugnen, daß gewisse Thesen der antidemokratischen Ideologen aus der Weimarer Zeit mit den Behauptungen Thomas Manns in den »Betrachtungen« übereinstimmen. Er wehrte sich wie sie gegen das

Parteiengezänk, er unterschied wie sie die demokratische Masse
vom aristokratischen Begriff des Volkes; und er verdammte die
Politik = demokratische Politik als etwas Undeutsches und Land-
fremdes wie jene auch. Er teilte mit ihnen den Glauben an eine
deutsche Sonderstellung der Mitte und verurteilte den westlichen Zivilisationsbegriff und seine politische Ausformung als alt
und abgestanden. War er also einer der ihren? Ja und nein. Die
Übereinstimmung war nicht tief genug. Und es war ein wesentlicher Unterschied, ob man solche Thesen eines Unpolitischen
unter dem Druck der nervlichen und geistigen Anspannung des
Krieges vertrat, oder ob man ihnen unter den gewandelten Verhältnissen des Nachkriegs anhing, von Unterschieden des geistigen Niveaus ganz zu schweigen. Lag es nun an Thomas Manns
politischem Kurswechsel oder an seiner offenkundigen geistigen
Verschiedenheit von den antidemokratischen Publizisten, jedenfalls enthält die antidemokratische Literatur der Weimarer Zeit –
und sie ist sehr reich und vielfältig – auffallenderweise kaum
Hinweise auf Thomas Mann und seine »Betrachtungen«, wohl
aber – wie wir im einzelnen noch sehen werden – eine Fülle von
wilden Polemiken gegen den abtrünnig Gewordenen.

Die Empörung im geistig-nationalen Deutschland über diesen Abfall war verständlich – man verliert nicht gern einen illu-
stren Kronzeugen –, beruhte aber zu einem Teil auf einem
Mißverständnis. Man hatte die »Betrachtungen« nicht genau
genug gelesen. Freilich trägt auch Thomas Mann an diesem
Mißverständnis Schuld, hatte er sich doch ausdrücklich genug als
wütender und zorniger Antidemokrat und Hüter deutschen Wesens empfohlen, als er sich durch den Angriff auf den Bruder so
tief in das Gewirr des ihm unbekannten Politischen locken ließ.
Man schreibt nicht ungestraft: *Ich hasse die Politik und die Demokratie, welche die Verpestung des gesamten nationalen Lebens
mit Politik bewirkt.* Als dann 1919 die Demokratie wirklich kam,
armselig und schwach, gedrückt von den harten Bedingungen
eines weithin als schändlich empfundenen Friedens, da hatte der
Autor, der bisher nur ihre geistige Ausgeburt in Form radikalen

Literatentums kennengelernt hatte, Gelegenheit, sich ein wenig
mehr der Wirklichkeit anzunehmen, die nun Demokratie hieß.
Und siehe da, sie war offenbar gar nicht so undeutsch und uner-
träglich, wie das Buch sie geschildert hatte, weil es nur geistige
Proklamationen ernstgenommen, nicht aber die demokratische
Verfassungswirklichkeit der Staaten befragt hatte. Diese Weimarer Demokratie glich gerade im Geistigen nicht einer Einöde
dürrer Radikalismen und Doktrinarismen, sie wurde nicht zum
Alptraum eines freien Künstlertums, sondern es ließ sich auch
als Künstler darin frei leben, freier noch als zuvor.

In den drei bis vier Jahren nach der Abfassung der »Betrachtungen« wurde der Dichter seiner unpolitischen Haltung erst
wahrhaft ledig. Wenn ihm auch Zeit seines Lebens ein unpolitischer Rest insofern geblieben ist, als er dazu neigte, das Geistige
im politischen Bereich zu hoch zu bewerten (wer will es einem
geistigen Menschen verdenken?) und darüber die richtige Einschätzung der Wirklichkeit des politischen Daseins ein wenig zu
vernachlässigen, so war er nach der Fertigstellung der »Betrachtungen« doch einen entscheidenden Schritt vorangekommen.
Die »Betrachtungen« waren ein Stück Literatur gegen ein anderes Stück Literatur. Sie wußten noch wenig von der Wirklichkeit,
wie auch die polemische Zola-Würdigung Heinrichs selbst die
Arbeit eines Unpolitischen war. Sie waren in der Tat ein *Rück-
zugsgefecht romantischer Bürgerlichkeit vor dem Neuen* (Thomas
Mann), aber es hätte keines so dramatischen Rückzugsgefechts
bedurft, hätte Thomas Mann sich nicht allein an den das »Neue
Pathos« propagierenden Intellektuellen orientiert und die Ge-
samtkräfte und die Gesamtentwicklung der Nation besser im
Auge behalten. Das Neue, als er es dann wirklich kennenlernte,
mit und in ihm lebte, erwies sich keineswegs als so abscheulich
und verderblich, daß man das Gefecht hätte fortsetzen müssen.
Im Gegenteil, es zeigte sich sehr bald, daß er für dieses Neue eintreten mußte, weil es nun, obgleich es gar nicht die Züge einer radikalistischen Demokratie aufwies, von enttäuschten Bürgern
und Bürgersöhnen, chauvinistischen Großmachtträumern und

deklassierten Monarchisten »gegen Recht und Wahrheit« geschmäht und verteufelt wurde. Während des Krieges schien ihm – geistig gesehen, und er vermengte dabei das Geistige oft vorschnell mit dem Politischen – die Opposition gegen das neue Pathos am Platze, und sie hatte einiges für sich, wenn man darüber hinaus die Stimmung der Augusttage und die Vehemenz der feindlichen Propaganda in Rechnung stellt. Sein *Bedürfnis nach Gleichgewicht* und vor allem seine brüderliche Empfindsamkeit trieben ihn in die Verteidigung des so schonungslos Angegriffenen – und es gab einiges dabei zu verteidigen, auch wenn es von Thomas Mann überspitzt und darum etwas ungeschickt getan wurde. Einige Jahre später lag die bestehende Republik im Kreuzfeuer intellektueller Auflehnung vor allem von seiten der Jugend. Das, so dünkte Thomas Mann, sollte nicht sein. So schlecht war die Republik nun doch nicht, daß ein junger und ehrbarer Mensch mit nationalem Empfinden ihr jede Zustimmung verweigern mußte. Wieder drängte ihn sein Gleichgewichtsbedürfnis, diesmal, um geistig und politisch der bedrohten Republik zu Hilfe zu eilen, und er tat es im Namen derselben Idee, die ihn auch schon in den »Betrachtungen« geleitet hatte: des Deutschtums und der Humanität. Nachdem er so, mühsam und mit bohrender Intensität, die Sphäre des Politischen *erkundet* hatte, trieb ihn seine Natur wie der Gang der Geschichte, das Erkundete an der harten Wirklichkeit zu *erproben.*

Teil II
Erprobung

(1920–1933)

Mann über Bord.

Zu Thomas Mann's Vortrag: Von deutscher Republik.

Von Werner Otto.

„Ich bekenne mich tief überzeugt, daß das deutsche Volk die politische Demokratie niemals wird lieben können . . ."
Thomas Mann. 1918.

I.

Sie hielten, Thomas Mann, in der vergangenen Woche im Berliner Beethovensaal einen Vortrag, den Sie „von der deutschen Republik" betitelten und in dem Sie sich mit warmem Herzen zur Republik bekannten; ja wir stehen nicht an zu erklären: Sie taten es mit jener Gewissenhaftigkeit, um derentwillen Sie uns wert und lieb sind, und die, um Sie selbst zu zitieren, eine Eigenschaft ist, „die einen so wesentlichen Bestandteil Ihres Künstlertums ausmacht, daß man kurz sagen könnte, es bestehe daraus".

Freilich, was in dem Buche geschrieben steht, dem wir diese Worte entnehmen, klang anders, ganz anders als das, was Sie nunmehr im Jahre der Republik 1922 einem ehrenwerten Publikum zu sagen hatten. Aber stürmte nicht damals im blutigen Frühjahr von 1918 das „protestierende" Deutschland, um Sie wieder zu zitieren, in der Erfüllung seines, von Ihnen tief erlebten Schicksals gegen die feindliche Welt? Und ist das heroische Zeitalter, seit Fahnen und Waffen zerbrochen wurden, nicht gestorben und mit ihm die Erfüllung unseres deutschen Schicksals? Leben wir statt dessen nicht wohlbehütet in einer Republik? Und erfüllen wir nicht statt dessen den Versailler Vertrag? Nehmen Sie das wirklich als „innere" Tatsachen? Und sind es nichts als äußere Tatsachen — Gegensätze erstehen und legen sich zwischen unsere Herzen und Ihre wie immer vollbedachte und erarbeitete Sprache. Das Schicksal ist stärker als der Zufall, die Tat mehr als das Wort. Und solange die deutsche Republik nur Zufall und Wort ist, haben wir nichts mit ihr zu schaffen. Was geht uns die Republik an? Es lebe Deutschland!

5

Anwalt der Demokratie

An einem Oktoberabend des Jahres 1922 hielt Thomas Mann in der Berliner Beethovenhalle anläßlich eines Festaktes zu Ehren Gerhart Hauptmanns die Festansprache vor einem neugierig-gereizten Publikum. Er gab ihr den Titel:»Von deutscher Republik«. Das öffentliche Auftreten wollte gut bedacht sein, und der Text zeugt davon. Denn der streitbare Unpolitische, der Eiferer gegen Demokratie und Politik, trat vor seine Hörer, um sie für die Republik zu gewinnen. *Mein Vorsatz ist, ich sage es offen heraus, euch, sofern das nötig ist, für die Republik zu gewinnen und für das, was Demokratie genannt wird und was ich Humanität nenne, aus Abneigung gegen die humbughaften Nebengeräusche, die jenem Worte anhaften.*[26]

Wie begründet der Dichter sein Vorhaben?

Es ist löblich, sagt er, *es ist ein Zeichen von Geist, äußere Tatsachen zu bekämpfen, sofern sie nicht mit den inneren übereinstimmen und also zwar Wirklichkeit, aber nicht Wahrheit sind. Es ist dagegen absurd, und nichts weiter, Tatsachen zu leugnen und sich im Wirklichen nicht ausprägen zu lassen wollen, die es für jedermann innerlich sind, auch für die Leugner und Opponenten. Studentenschaft! Bürgertum! Die Republik, die Demokratie, sind heute solche inneren Tatsachen, sind es für uns alle, jeden einzelnen, und sie leugnen heißt lügen.*[27]

Der Staat, fährt der Redner fort, sei uns jetzt zugefallen, ob wir wollten oder nicht, er sei zu unserer Sache geworden, nachdem er uns früher nichts angegangen sei, da eine Scheidung des staatlichen und des nationalen geistigen Lebens sich hergestellt hätte, wie sie in dieser Zuspitzung niemals statthaft sein könne. Die Republik sei unser Schicksal, und amor fati sei das einzig richtige Verhalten zu ihr.

Jugend und Bürgertum, so führt Thomas Mann weiter aus, euer Widerstand gegen die Republik, die Demokratie, ist Wortscheu, ja, ihr bockt und scheut vor diesen Worten wie unruhige Pferde ... Aber es sind Worte, Relativitäten, zeitbestimmte Formen, notwendige Werkzeuge, und zu glauben, es müsse landfremder Humbug sein, was sie bedeuten, ist nichts als Kinderei. Die Republik – als ob das nicht immer noch Deutschland wäre! Die Demokratie, als ob das nicht heimlichere Heimat sein könnte als irgendein strahlendes, rasselndes, fuchtelndes Empire![28]

Zur Zeit des Kaiserreiches seien das politische und nationale = geistige Leben beziehungslos auseinandergefallen, heute dämmere die Möglichkeit der Harmonie, und Republik, sei dies nicht der rechte Name für das volkstümliche Glück der harmonischen Einheit von Staat und Kultur?

Thomas Mann wendet sich sodann gegen das geistige Obskurantentum, welches den Deutschen die Republik verekle und dessen Früchte er nicht zuletzt in der Haltung der Jugend zu entdecken glaubt. Dabei spricht er die Befürchtung aus, mit seinen »Betrachtungen« diesem Obskurantentum gar noch Waffen geliefert zu haben. Als er dann direkt auf sein Buch zu sprechen kommt, sagt er: *Ich widerrufe nichts. Ich nehme nichts Wesentliches zurück. Ich gab meine Wahrheit und gebe sie heute.*[29]

Und dann beginnt jener überraschende, aber eindrucksvolle Versuch Thomas Manns, Novalis, den melancholischen Sänger der deutschen Romantik, mit Walt Whitman, dem gewaltigen Hymniker der kraftvollen demokratischen Lebensart, zusammenzubringen, um auf diesem Wege bei der Jugend poetische Begeisterung für die Demokratie zu wecken.

Der Versuch ist legitim, zumal für einen Dichter, auch wenn er die so hübsch ersonnene Wirkung, nämlich Romantik und Demokratie zu versöhnen, in den Gemütern der Hörer vielleicht nicht zu zeitigen vermochte. Immerhin hatte Thomas Mann so deutlich und so entschieden für die Republik Partei ergriffen, daß man von nun an nicht mehr zweifeln konnte, auf welcher Seite er stand. Als empfindsamer geistiger Mensch spürte er sehr bald, woran es dieser Republik von Weimar gebrach: an geistigem Zuspruch, an Frische und Jugendlichkeit, an Begeisterung und Opferwilligkeit. Darum appellierte er so nachdrücklich an die junge Generation, die damals nur zu geneigt war – und es blieb –, sich von den Mächten der Reaktion z. T. für gute Parolen in schlechten Dienst nehmen zu lassen, und eben solchen Abkömmlingen romantisch-deutscher Bürgerlichkeit wollte er zeigen, daß auch der Dichter der blauen Blume in seiner Gesinnung, in seinem Herzen, in seiner Menschlichkeit ein Demokrat und ein Republikaner gewesen war. Wie weit diese Jugend seinem Rufe folgte, und mit ihm die Republik »Vater Eberts« hochleben ließ, wie sehr er also seinem staatsbürgerlichen Auftrag auch den Erfolg zu sichern wußte, ist nicht zu ermitteln, denn was ist schon selbst ein bekannter Schriftsteller wie Thomas Mann gegenüber einer reißenden politischen Bewegung der Unzufriedenheit und Aggressivität gegen den aus der Niederlage hervorgegangenen Staat?

Mit dieser Rede wird Thomas Mann nun endgültig zu einem politischen Fall in Deutschland. Die »Betrachtungen« waren zwar nicht unbeachtet geblieben, aber sie entzogen sich populärem Interesse und waren eine Sensation höchstens insofern, als die brüderliche Auseinandersetzung darin so extreme literarische Formen annahm. Mit dieser Rede von deutscher Republik war die Sensation jedoch komplett, schien der Autor doch sein Bekenntnis des Jahres 1918 zu desavouieren und ins genaue Gegenteil zu verkehren. Er schien, aus politischem Opportunismus, sich mit dem neuen Staat arrangieren zu wollen. Er pries die Demokratie mit derselben Eloquenz, mit der er sie ein paar Jahre zuvor in Grund und Boden verdammt hatte. Er rühmte z. B. die Meistersinger Richard Wagners jetzt als ein Nationalsymbol deutscher Demokratie, während er sie in den »Betrachtungen« noch als das genaue Gegenstück zur Zivilisation und zum Geist politischer

Demokratie gefeiert hatte. War das noch ernsthaft? Konnte man es sich leisten, derart mit den Worten und Begriffen zu jonglieren, deren Relativität so weit zu treiben, daß nur noch terminologische Willkür übrigblieb?

Hören wir, was die deutsche Presse zu Thomas Manns Republikansprache zu sagen wußte:

»Der Dichter und Mitbürger Thomas Mann«, so schrieb die nationalbayrische »Münchner Zeitung« in ihrer Ausgabe vom 16. X. 1922, »hat in Berlin Betrachtungen angestellt, in denen er nicht zu versichern brauchte, daß sie dem Mund eines Unpolitischen entströmten. So kann nur jemand sprechen, der in den Wolken schwebt, der von den Dingen, wie sie sind, nichts weiß und nichts wissen will. Liebster Herr Thomas Mann. Was haben Sie doch 1918 für richtige Urteile und treffliche Worte gehabt gegen die Zivilisationsliteraten, gegen die Nestschmutzer. Herr Thomas Mann, sehen Sie sich Ihre neue Berliner Freundschaft einmal etwas genauer daraufhin an, ob Sie nicht alte unliebe Bekannte von 1918 darunter treffen. Das Lob der ›Frankfurter Zeitung‹ für Ihr ›mannhaftes, geistig fundiertes Bekenntnis‹ haben Sie sich schon zugezogen. Ist Ihnen das so ganz gleichgültig?«

Die Wochenzeitung des neukonservativen Juni-Klubs um Moeller van den Bruck, »Das Gewissen«, schrieb eine Glosse mit dem Titel: »Mann über Bord« und apostrophierte den Dichter: »Sie predigen, wie ein sanfter Poet der achtziger Jahre, als deutsche Tugend die Humanität, die längst zu einer Hure geworden ist. (Sie) wurden jetzt auf dem Podium selbst zum Bürger, der sich – in die Politik verlor und auf die Demokratie hereinfiel. Aber die Tragik fehlt … Was geht uns die Republik an? Es lebe Deutschland!«[30]

Das »Gewissen« war übrigens jene Wochenzeitung gewesen, von der Thomas Mann noch ganz zu Anfang der Weimarer Republik gesagt hatte, daß er sie immer zu sehen wünsche, und daß er sie jedem, mit dem er sich über Politik unterhalte, als die ohne Vergleich beste deutsche Zeitung empfehle. Und zu den konservativ-revolutionären Ideen des Ring-Kreises um Moeller van den

Bruck, dessen Veranstaltungen er anfänglich auch besucht hatte, meinte er damals: *Die politische und kulturelle Haltung Ihres Kreises schmeichelt unmittelbar meine geistigen Nerven und damit auch wirklich meine physischen; was geistige Sympathie ist, ich erfahre es immer bei der Berührung mit Ihrer Welt ...*[31]

Jene Jung- oder Neukonservativen um die Moeller van den Bruck, die M. H. Boehm, die Heinrich von Gleichen etc., die bald nach Zustandekommen der Weimarer Republik zu deren heftigsten geistigen Gegnern und zu einer Zelle einflußreicher antidemokratischer Geistesaktivität in Deutschland wurden, hatten mit Thomas Mann geglaubt, daß der Elan von 1914 sich trotz der Niederlage von 1918 doch noch in einen deutschen organischen Volksstaat ummünzen ließe, fanden dann aber – unpolitisch wie sie waren –, daß die Weimarer Verfassung nur das mechanistisch starre Gerüst einer von den Massen dirigierten, undeutschen Formaldemokratie sei. Es verwundert nicht, daß Thomas Mann ihnen eine Zeitlang näher war als der zwischen 1919 und 1921 geistig aufblühenden und die kulturelle Szene beherrschenden Literatur der Linken, doch die Ernüchterung folgte bald, und nicht zuletzt hat auch die ruchlose Ermordung Walther Rathenaus durch einen von antidemokratischer und antisemitischer Hetze verführten jungen Menschen Thomas Mann das Bekenntnis zur Republik erleichtert, ja geradezu aufgedrängt.

Vom »Saulus Mann« berichtete der deutschnationale Berliner »Tag«. Thomas Mann, so lautet seine Kritik, vertausche und verwechsle Ideal und Wirklichkeit. Er schelte das Gewesene ob seiner unzulänglichen Erscheinung und preise das Neue ob einiger Ideen, die man jedoch in seiner Wirklichkeit nicht bemerke. Vergebens rede dieser neue Demokrat und Republikaner sich und uns ein, es sei doch alles besser jetzt, uns sei im Grund wohler. »Uns nicht, Saulus Mann!« Seit seinen »Betrachtungen« sei allerdings schon zu spüren gewesen, daß er sich nicht ganz glücklich fühlte, denn er habe aus seinen Lehren gegen die Demokratie keinerlei praktische Folgerungen gezogen. Der Autor glaubt Thomas Mann vor allem die Schnelligkeit dieses Wandels vorwerfen zu müssen. Es sei nicht richtig, die Republik mit Werten und Ideen zusammenzubringen, die gar nicht an sie gebunden seien.[32]

Noch offener äußerte sich Hanns Johst, der spätere national-sozialistische Dichterfürst, dem »das Schwert sakraler war als der Federhalter«, in einer süddeutschen Abendzeitung. Er schrieb in einem offenen Brief an Thomas Mann: »Der Blickpunkt der Romantik war Idee und Ewigkeit. Ihr Blickpunkt ist Zeit und Vater Ebert; damit ist ein für alle Mal der Entscheid für uns Junge gefallen.«

Es ist die Entscheidung gegen Thomas Mann, weil dieser jetzt für die Republik eintritt. Johst gesteht, auf Thomas Manns unzweideutiges Deutschtum eingeschworen gewesen zu sein, doch nun kann er nicht umhin zu verkünden: »Sie haben Ihr Deutschtum an die Zeit verraten, an den Kompromiß, an die politische Praxis, das aber dünkt mich eines Dichters weheste Absage an seinen ewigen Beruf.«[33]

Man könnte fortfahren mit der Schilderung ähnlicher Meinungen, etwa noch von jenem DAZ-Redakteur sprechen, der – erschüttert über Thomas Manns politische Wandlung – wieder zu den »Betrachtungen« griff und sich daran erbaute: »Ich lese wieder in Ihrem Buch, und wieder klingen mir tausend verwandte Stimmen entgegen: Nein, unter die Demokraten hätten Sie nicht gehen dürfen.«[34]

Die »Demokraten« freuten sich natürlich des bedeutsamen Zuspruchs, der ihnen durch die Stellungnahme des Dichters zuteil geworden war. Die »Vossische Zeitung« sprach davon, daß der tote Walther Rathenau über tiefe, von Goethe und Lagarde herkommende demokratische Abneigungen den Sieg errungen habe und würdigte in Thomas Mann einen geistigen Nothelfer des neuen Staates, während seine Gegner ihm törichterweise unterstellten, er habe mit seiner Rede Wahlpropaganda für Ebert treiben wollen.[35]

Mußte Thomas Mann zwar mit einem gelinden Aufruhr rechnen, den sein prorepublikanisches Bekenntnis zur Folge haben würde, so schlimm hatte er es sich nicht vorgestellt: *Politik um-schäumt mich*, schrieb er an seinen Bruder in jenen Tagen[36], und schon beim Vortrag im Saale selbst hatten heftiges Scharren und Laute des Unmuts ihm zu erkennen gegeben, daß er es durchaus auch mit Vertretern jener verstockten nationalistischen Generation von Studenten zu tun hatte, die sich so außerordentlich revolutionär und jugendfrisch vorkam, und die für die Republik zu gewinnen er ans Podium getreten war.

War Thomas Mann durch seine antidemokratischen Ergüsse in den »Betrachtungen« als wertvoller geistiger Gegner der Demokratie geschätzt und verehrt worden von all denen, die mit der neuen Demokratie nichts zu tun haben wollten und ihr auf alle mögliche Weise opponierten, so war er mit seiner Rede von Deutscher Republik nun zu deren Feind geworden, denn die Parteiungen, wie sie das damalige politische Leben in Deutschland bestimmten, und die im wesentlichen um die Frage: Für oder gegen die Weimarer Republik? zentriert waren, ließen eine angemessene Würdigung der Rede kaum zu. Ist er für oder gegen uns? das war die Frage. Seit er für die Demokraten eintrat, waren diese überzeugt, daß aus dem »Unpolitischen« ein politisch reifer Mensch geworden war, die Gegner hingegen, die seine »Betrachtungen« als den Gipfel deutsch-politischer Weisheit verherrlicht hatten, sahen ihren Thomas Mann von allen guten Geistern verlassen. Er hatte offenbar allen politischen Verstand verloren. Jetzt erst war er in ihren Augen der unpolitische Tor geworden, der dem reinen Gedanken auf irrigen Wegen nachjagt.

Freilich gab es im Konzert der Pro- und Contra-Stimmen auch einige wenige, die den menschlich-politischen Sinn dieser Rede erfaßten. Das schönste Zeugnis hat ihr zweifellos der große Romanist Ernst Robert Curtius ausgestellt, der in einem Artikel der »Luxemburger Zeitung« Manns Rede als ein »Ereignis« feierte, als die »schönste, liebenswürdigste, gehaltvollste und wichtigste Kundgebung«, in welcher sich der deutsche Geist seit 1918 öffentlich ausgesprochen habe:

»Wenn irgend jemand, so ist *er* unfähig, leere Worte zu machen und den Rhetor zu spielen. Alles bei ihm kommt aus der
Tiefe, aus dem Herzen, aus dem Gemüt … Ein großer be-
glückender Reichtum ist dem jungen Deutschland in dieser Rede
geschenkt worden. Es ist ein verheißungsvolles Vorzeichen für
die nächste deutsche Zukunft, wenn ein Dichter und Betrachter
wie Thomas Mann die Sache der Humanität, der weltsinnigen
Menschlichkeit, die heute so wenig Anwälte im deutschen Volke
hat, zu der seinen macht.«[37]

Man hat in dieser Rede auf nationalistisch-antidemokratischer
Seite natürlich so etwas wie Gesinnungslumperei gesehen, das
Manifest eines Mannes, der im Angesicht der republikanischen
Zuhörer-Prominenz sein Fähnchen behend nach dem Winde
hängt. Man glaubte Grund zu solcher Annahme zu haben, jeder
Blick in die »Betrachtungen« schien es zu beweisen. Bewies er es
wirklich? Worin liegt die eigentliche Differenz zwischen den »Be-
trachtungen« und der Rede von Deutscher Republik? Hören wir
Thomas Mann selbst, der sich dazu bei verschiedensten Gele-
genheiten geäußert hat. Am eindrücklichsten sind seine diesbe-
züglichen Bemerkungen in der Sonderausgabe des Vortrages, die
wenige Monate nach der Berliner Vorlesung im Druck erschien.
Dort sagte er mit Bezug auf den angeblichen Bruch mit seiner
geistig-politischen Vergangenheit:
*Ich weiß von keiner Sinnesänderung. Ich habe vielleicht meine
Gedanken geändert, – nicht meinen Sinn. Aber Gedanken, möge
das auch sophistisch klingen, sind immer nur Mittel zum Zweck,
Werkzeug im Dienst eines Sinnes. Darum gelte es, einen bleibenden
Sinn in veränderter Zeit zu behaupten. Dieser republikanische Zuspruch setzt die Linie der Betrachtungen genau und ohne Bruch ins
Heutige fort, und seine Gesinnung ist unverwechselt, unverleugnet
die jenes Buches: diejenige deutscher Menschlichkeit.*[38]
    In einem Interview mit der »Vossischen Zeitung« vom 9. 1.
1929 führte Thomas Mann u. a. aus: *So hat sich mein Urteil in
manchem gewandelt. Aber nur dem mag das seltsam und unbe-*

*greiflich erscheinen, der die »Betrachtungen« für etwas anderes
hält, als sie sind. Sie sind kein Dogma, sie sind der Versuch der
Selbstrechtfertigung, und in der Selbstrechtfertigung, in dem Vor-
übergleitenlassen alles Gewesenen und Gewirkten zum Zweck des
Klarwerdens liegt ja bereits der Moment des Fortschritts.*[39]
In einem schon im Juli 1920 dem »Neuen Wiener Journal« ge-
gebenen Interview hatte Thomas Mann auf die Frage nach der
Gültigkeit seiner »Betrachtungen« geantwortet, sein damaliges
Glaubensbekenntnis bestehe im wesentlichen noch zu Recht. Allerdings seien die geschichtlichen Ereignisse nicht ohne einen gewissen Einfluß auf ihn geblieben; auch er habe sich mit den
neuen Verhältnissen innerlich irgendwie abfinden und sich auf
den Boden der Tatsachen stellen müssen. Dennoch sei er nach
wie vor konservativ gesinnt: *Dabei denke ich allerdings an einen
durchaus moderierten, staatsmännisch weisen, gleichsam liberalen
Konservativismus, der den berechtigten sozialen Forderungen aller
Gesellschaftsklassen Rechnung trägt.*[40]
Aber auch viele Jahre später hielt Thomas Mann an der Meinung fest, zwischen den »Betrachtungen« und der »Rede von
deutscher Republik« sei kein wirklicher Bruch. In dem biographisch sehr aufschlußreichen Vortrag von 1950, »Meine Zeit«,
heißt es: *Bloße vier Jahre nach dem Erscheinen der ›Betrachtungen‹
fand ich mich als Verteidiger der demokratischen Republik, dieses
schwachen Geschöpfes der Niederlage, und als Anti-Nationalist,
ohne daß ich irgendeines Bruches in meiner Existenz gewahr geworden wäre, ohne das leiseste Gefühl, daß ich irgend etwas abzuschwören gehabt hätte. Gerade der Antihumanismus der Zeit
machte mir klar, daß ich nie etwas getan hatte – oder doch hatte tun
wollen –, als die Humanität zu verteidigen. Ich werde nie etwas anderes tun.*[41]
Hatte Thomas Mann sich also im Weltkriege geirrt, als er dem
Zivilisationsliteraten die deutsche kosmopolitische Humanität
absprach, um wenige Jahre später erkennen zu müssen, daß die
Bekenner trutzig-nationalen Deutschtums die eigentlichen An-
tihumanisten waren? Nicht ganz. Seine Rede von deutscher Re-

publik ist in ihrer geistigen Struktur und ihrem Gehalt weit entfernt von den politischen Manifesten eines Zivilisationsliteraten
und verrät gesinnungsmäßig keinen Frontwechsel. Sie ist der er-
staunliche und liebenswürdig gemeinte Versuch, die Republik
zur deutschen Romantik, zum allerdeutschesten also, in Beziehung zu setzen. Dahinter stand freilich die reale Erfahrung, daß
die Bedrohung des deutschen Geistes jetzt von der Seite des ro-
mantisch-konservativen Denkens kam, das er im Kriege glaubte
verteidigen zu müssen, weil ihm damals der Ansturm des »Neuen
Pathos«, das zwar die Humanität im Munde führte, aber wenig
human wirkte, allzu mächtig schien. Die Gegner der Republik
verhöhnten, wie er seinerzeit, die Humanitätsphrase und das radikale Gleichheitsprinzip, taten es aber nicht aus einer reineren,
menschlichen Humanität heraus, sondern um der erklärten An-
tihumanität willen, die sie für Heroismus und Vitalität ausgaben.
Thomas Mann stellte sich mit seinem Vortrag zwischen die beiden Fronten: Die Humanität, so sagte er am Schlusse, sei in
Wahrheit die deutsche Mitte. Sie liege zwischen ästhetizistischer
Vereinzelung und würdelosem Untergang des Individuums im
allgemeinen, zwischen todverbundener Verneinung des Ethischen, Bürgerlichen, des Wertes und einer nichts als wasserklar-
ethischen Vernunftphilisterei. Und ihre positive Rechtsform sei
die Deutsche Republik.[42]
    Es ist einfach nicht wahr, daß sich Thomas Mann mit seinem
Bekenntnis zur Weimarer Republik geistig auf die Seite des Zivilisationsliteraten geschlagen habe, auch wenn beide jetzt politisch in derselben Front standen. Immer, wenn Thomas Mann
sein demokratisches Bekenntnis erneuerte und vor der antihu-
manitären Welle des deutschen Geistes der Weimarer Jahre als
einem politisch gefährlichen Irrweg warnte, hat man ihm den
Vorwurf des Zivilisationsliteratentums gemacht. Was er sei, so
konnte man lesen, habe er ja in seinen »Betrachtungen« selbst
ausführlichst geschildert: ein Zivilisationsliterat.
    Thomas Mann hat zumindest seit seiner Rede im Oktober
1922 die Erfahrung machen müssen, wie schnell und leichtfertig

politische Wertungen und Einstufungen vorgenommen werden, wie wenig man sich im allgemeinen Mühe gibt, einer subtilen geistigen Anschauung, die ins Politische hinüberspielt, gerecht zu werden. Man schaut nur auf das Ergebnis, prüft nur, wohin man ihn einzureihen hat: in die Schar der Freunde oder der Gegner, und damit ist das Urteil fertig. Behandelt er jedoch, wie dann im »Zauberberg«, dieselbe Problematik spielerisch-ironisch, ohne sich festzulegen, ohne das Pathos des Bekennertums für eine Weltanschauung, so gilt der Dichter erst recht als ein Intellektualist, ein Spieler mit Gedanken, ohne innere seelische Anteilnahme an seinem Werk.

Doch prüfen wir endlich, ob man Thomas Mann so unbedenklich folgen kann, wenn er sagt: *Ich nehme kein Wort von alledem zurück, was ich 1918 gesagt habe, und unterschreibe alles wieder, was ich von der Deutschen Republik kürzlich sagen mußte. Ich empfand es geradezu als meine Pflicht zu sagen, was alle mir verübeln, die mit Scheuklappen durch die Welt gehen ...*[43]

Solche Formulierungen sind zu provozierend, um ganz wahr zu sein. Es ist ein Unterschied, ob das »Es lebe die Republik« eine höhnische Parodie zivilisationsliterarischer Politikbegeisterung darstellt wie in den »Betrachtungen« oder ob es als Bekenntnis zum deutschen republikanischen Staat gemeint ist, dessen Heraufkunft abzuwehren man ein paar Jahre zuvor sechshundert Druckseiten gefüllt hat. Thomas Mann konnte sicher sein, daß seine geistige Grundhaltung, sein »Sinn«, sich nicht geändert hatte. Er war auf das eine, auf die Sicherung und Realisierung der Menschlichkeit gerichtet, 1918 wie 1922. Aber wie konnte es nur zur völligen Vertauschung der Termini kommen: Demokratie einmal als Schrecken, das andere Mal als Heil? Lag darin nicht doch eine umstürzende Wendung?

Wenn er das dunkle Wort gebrauchte, er habe seine Meinungen geändert, nicht aber seinen Sinn, so konnte der sorgfältige Leser zwar in der Rede von der Republik und den »Betrachtungen« einen gewissen einheitlichen Sinn entdecken, aber verwirrend blieb es doch, daß die Meinungen einander so diametral entgegenstanden, und Meinungen sind eben das, was sich dem Leser und Hörer viel leichter und schneller erschließt als ein »Sinn« im Sinne Thomas Manns. Thomas Mann hat denn auch im Verfolg der Jahre, als er durch seine Emigration, wie er selbst einmal bekannte, immer stärker zu einer Art *Wanderprediger der Demokratie* wurde, die »Betrachtungen«, zwar nicht verleugnet, doch mit viel kritischerer Distanz beleuchtet. Er verwies ihre Entstehung in eine *konservativ-nationalistische und antidemokratische Stimmungsperiode* seines Lebens; sie hätten ihn zum »Reaktionär« gemacht oder doch zumindest einen Augenblick als solchen erscheinen lassen, und in »Kultur und Sozialismus« (1939)[44] reihte er sich selbst in die Schar jener ein, denen das Wissen um die Totalität des Menschlichen, zu dem das Soziale und Politische auch gehöre, ursprünglich fremd gewesen sei, auch er habe sich diese Einsicht erst erringen müssen.

Thomas Mann – daran ist kein Zweifel – hatte keinen Grund, seine »Betrachtungen« pauschal zu verurteilen, nur weil die darin veröffentlichten Meinungen (einer gewissen Zeitsituation und psychologischen Zwangslage entsprungen) sich in einer veränderten politischen und seelischen Lage so verwirrend anders ausnahmen und ihn in den Geruch des politischen Renegaten brachten, obgleich er mit ihrer Abfassung ähnliche moralische Ziele verfolgte wie danach.

So verleugnete er sie zwar nicht, zumal nicht als eine notwendige Durchgangsstation auf seinem Wege als Schriftsteller, entsprechend dem von ihm gern gebrauchten Wort: *Niemand bleibt ganz der er ist, indem er sich erkennt*[45] – aber er erinnerte sich ihrer nicht gerade gerne. Sie erschienen ihm wie ein kleiner Makel, eine Schuld gegenüber der Nation. Und er hat sich in der Darstellung der bedrohlichen, bösen Seiten des Deutschtums, etwa in dem Vortrag »Deutschland und die Deutschen« (1945), gerade darum zu solch kritischen Äußerungen gegenüber Deutschland legitimiert gefühlt, weil er mit Recht von sich sagen konnte, daß er all dies in seiner eigenen Seele ausgetragen, an seinem eigenen Leben erfahren habe. Thomas Mann hat sich von diesem kleinen Schuldkomplex offenbar nie ganz befreien können, wiewohl sein Verstand ihm sagte – und er hat auch ausdrücklich in seinen Schriften darauf verwiesen –, daß er rechtzeitig genug seine Stimme gegen die Heraufkunft der nationalsozialistischen Barbarei erhoben hatte und daß er sich weit weniger vorzuwerfen habe als jene, die in ihrer unpolitischen Geistigkeit in den Weimarer Jahren keinen Finger rührten, dem Unheil zu steuern, im Gegenteil! Das Schuldgefühl war so unberechtigt nicht. Subjektiv gesehen mußte er die »Betrachtungen« zwar nicht ablehnen; sein Verlangen nach menschlicher Würde und künstlerischer wie nationaler-geistiger Freiheit war darin ebenso vorherrschend wie in späteren Verlautbarungen, doch objektiv hatten seine Thesen zweifellos gewirkt. Das *ich hasse die Demokratie* war zur Parole von Freikorps, Heimwehrverbänden und zahllosen bürgerlich-nationalistischen Vereinigungen geworden. Gewiß war es nicht *seine* Form des Hasses, es war auch nicht derselbe Gegenstand des Hasses, aber die nominalistische Identität war gegeben, und somit war Thomas Mann, wider seinen Willen und wider seine wahren Absichten, auch Kronzeuge jener Kräfte, denen er später – zu ihrem außerordentlichen Verdruß – die Republik ans deutsche Herz legte. Hier liegt, wenn man einen strengen Maßstab anlegen will, ein gewisses Maß an Schuld. Es war nicht groß genug, um sich selbst öffentlich schuldig bekennen zu müssen. Thomas Mann tat es, weil er ein sensibler und der Wahrheit verbundener Mensch war.

Zeitgebunden in seiner Terminologie, und darum für Heutige nur schwer lesbar, ist Thomas Manns Buch aus den Kriegsjahren freilich viel beständiger und beachtlicher in seinem wesentlichen Gehalt, aber da es jedem Leser Schwierigkeiten bereitet, Meinungen und Sinn auseinanderzuhalten, Demokratie zu denken, wo Kultur und Obrigkeitsstaat steht, und für Demokratie das literarische Schreckgespenst einer totalitären Gesellschaft mit Geistesterror und dem billigen Anstrich des Optimismus einzusetzen, wird das Buch seine Zweideutigkeit und seine Widersprüchlichkeit nie ganz verlieren. So wie dieses Werk, nach den Worten sei-

nes Autors, die Darstellung eines innerpersönlichen Zwiespaltes
und Widerstreites war, so ist auch im historischen Rückblick die
Zwiespältigkeit der »Betrachtungen« geblieben. Mit ihnen freilich wurde aus dem entschlossenen Unpolitischen der politische
Schriftsteller Thomas Mann, und in dem Maße, wie er sich zu
politischen Fragen äußerte, geriet er zunehmend in den nationalen Widerstreit.

Es empfiehlt sich, gleich hier die Darstellung einer Kontroverse
anzuschließen, die im Jahre 1928 zwischen Thomas Mann und
nationalistischen Kritikern seiner nun prorepublikanischen politischen Haltung ausgetragen wurde. Damals hatte der S. Fischer
Verlag eine erste Gesamtausgabe der Schriften Thomas Manns
herausgebracht, in die auch die »Betrachtungen« aufgenommen
wurden. Allerdings unterschied sich die neue Ausgabe der »Betrachtungen« von der ersten, ohne daß eine Veränderung bzw.
Kürzung mitgeteilt worden wäre. Ein Mitarbeiter der »Süddeutschen Monatshefte«, die Professor Cossmann, der literarische
Verfechter der Dolchstoßlegende, herausgab, Dr. Artur Hübscher, hatte den Unterschied der beiden Ausgaben aufgedeckt
und mit philologischer Akribie die Änderungen aufgezeichnet.
Seine Entdeckung bot er einigen nationalen Blättern der Weimarer Zeit unter dem Titel: »Die überarbeiteten Betrachtungen
eines Unpolitischen« und »Die Metamorphose der Betrachtungen eines Unpolitischen« mit Erfolg an. Hübscher tat so, als seien
die Änderungen und Weglassungen äußerst gravierend, denn in
der jetzigen Ausgabe seien gegenüber früher, »wo es prächtig zu-
ging«, nur »wenige ins Objektive und Lahme gekehrte Erläute-
rungen« geblieben, das Buch sei jetzt zu einem demokratischen
Relativismus eingeebnet, der Offenheit zu scheuen habe. Kurz:
Thomas Mann wurde bezichtigt, aus einer antidemokratischen
Streitschrift unter der Hand einen demokratischen Traktat gemacht zu haben.[46]
   Thomas Mann schlug zurück, und zwar in einem Offenen
Brief an Herrn Hübscher.[47] Er leugnete nicht, die schwerfällige

Schrift um *einige* (es waren 38, d. Verf.) *Seiten erleichtert* zu haben – es handelte sich um die Herausnahme einiger der schärfsten Angriffe gegen seinen Bruder und gegen Romain Rolland sowie um eine mildernde Fassung seiner Darstellung der »sittigenden Wirkung des Krieges« –, aber er hielt es für unverschämt, ihm jene Motive zu unterstellen, die der philologische Fährtensucher dahinter zu finden meinte.

Im übrigen verwies Thomas Mann den Kritiker an seinen Verleger Samuel Fischer, der wohl wisse, was verlegerische Gepflogenheiten seien, und wies den kapitalen Vorwurf von sich, daß ein Leser, der sich das *antidemokratische Buch Thomas Manns* erwerben wolle, nun heimlich eine demokratische Bearbeitung zugeschoben bekäme. Die nationale Presse, die an Hübschers Enthüllungen Gefallen finde, schrieb er, habe mit den »Betrachtungen« nie etwas anzufangen gewußt. Vielmehr insultiere sie ihn, wo sie könne, und würde auch künftig das Politikfernste aus seiner Feder nicht mehr gelten lassen, da sie habe läuten hören, er sei »Demokrat« geworden. *Mit dieser blödsinnigen Bestimmung meiner geistigen Existenz gibt ihre Vierschrötigkeit sich grimmig zufrieden.*[48]

Tatsache ist, daß die »Betrachtungen« ein wenig verändert waren. Tatsache ist aber auch, daß die von Thomas Mann vorgenommenen Streichungen und geringfügigen Änderungen am Gesamttenor des Buches nichts Wesentliches zu ändern vermochten. Die Vorstellung, Thomas Mann habe die »Betrachtungen« seinen neuen politischen Überzeugungen anzupassen gesucht, ist läppisch und nicht überzeugend zu begründen. Daß dieser Vorwurf gemacht wurde, ist jedoch ein typisches Phänomen der Zeit, typisch auch für die Verdächtigung und politische Diskriminierung, welcher sich der Dichter seit seinem Bekenntnis zur Republik von seiten der starken antirepublikanischen Kräfte ausgesetzt sah: Thomas Mann war »Demokrat« geworden, folglich war ihm alles zuzutrauen. Daß diese Änderungen mit persönlichen Rücksichten gegen den Bruder, mit Fragen des Geschmacks ein wenig zu tun hatten, nahm man nicht zur

Kenntnis. Thomas Mann hatte darum ganz recht, als er hinter
dem Angriff Hübschers den Versuch politisch-moralischer Diskriminierung, nicht aber das Ergebnis philologischer Empfindsamkeit und Werktreue sah. Jene Empfindsamkeit stand vorwiegend im Dienste der Politik.

Da aber Hübschers Angriff viel zu forsch vorgetragen war, als
daß Thomas Mann ihn hätte hingehen lassen können, Thomas
Mann andererseits die Tatsache der Änderung des Textes nicht
leugnen konnte, wechselten die beiden noch einige artige Privat-
briefe, in denen sie sich schließlich dazu bereit fanden, die Polemik auf sich beruhen zu lassen. Doch die nationalistischen
Widersacher Thomas Manns um Professor Cossmanns »Süddeutsche Monatshefte« gaben sich nicht zufrieden. Plötzlich erschien in Münchner Tageszeitungen ein Auszug aus einem pri-
vaten Brief, den Thomas Mann an Hübscher gerichtet hatte, in
dem zu lesen stand: *Und da ich Ihnen gerade an dem Tage schrei-*
be, wo unsere gute, aber mißgeleitete Stadt zu Ehren der beiden
Flieger-Tröpfe (Köhl und von Hünefeld) den nationalistischen
Kopfstand vollführt, so will ich auch gleich zugeben, daß mir dies
Wesen schlimmer scheint als ›Jonny spielt auf‹.[49] (Jazz-Oper von
Ernst Krenek)

Die nationalen Zeitungen quer durch Deutschland zischten
vor Empörung. Mit diesem Satz, so schrieb die nationalistische
»Münchner Zeitung«[50], habe sich Thomas Mann von der deutschen Nation losgesagt. Der »Fränkische Kurier«[51] wußte zu
sagen, Thomas Mann habe sich durch seine »Betrachtungen«
eine geistige Führerrolle erworben, er müsse nun auch die Verantwortung übernehmen für die Seelen, die er führe und die er
verraten habe. Der »Reichsbund ehemaliger Kadetten« faßte eine
Resolution und übergab sie als Offenen Brief an Thomas Mann
der Presse[52]:

»Da einer der kühnen Männer (es handelte sich um eine Oze-
anüberquerung per Flugzeug, die als nationale Großtat gefeiert
wurde, d. Verf.) Ehrenmitglied unseres Bundes ist, sehen wir uns
schon aus diesem Grunde veranlaßt, Ihnen unser schärfstes

Mißfallen über Ihre undeutsche Gesinnung zum Ausdruck zu bringen. Sie mögen literarische Verdienste haben; die Aufgaben eines deutschen Dichters erfüllen Sie in unseren Augen nicht und verdienen nicht diesen Namen, wenn Sie so wenig Verständnis für deutsches Heldentum besitzen. Sie haben umso weniger Anlaß, solche Leistungen zu verunglimpfen, als uns nicht bekannt ist, daß Sie jemals Ihr Leben für das Vaterland im Weltkriege oder für eine hohe Idee eingesetzt haben, wie es die Ozeanflieger mit Recht und Stolz von sich behaupten können.«

Thomas Mann befand sich um diese Zeit gerade im Nordseebad Kampen auf Sylt. Er war empört über den Vertrauensbruch, der darin lag, daß man private Mitteilungen ohne Wissen des Verfassers veröffentlichte, ganz offenbar, um ihn vor den Augen eines Teiles der Nation herabzusetzen. Doch das war vorbedacht, und Thomas Mann mußte sich in Zukunft mancher bösartiger Verleumdungen und Kritiken gewärtigen, weil man es sich im sogenannten nationalen Lager angewöhnt hatte, jeden zu schmähen und herabzusetzen, der entschieden für die Weimarer Republik eintrat. Thomas Mann war in dieser Republik viel mehr von Politik umschäumt als sein Bruder Heinrich, der ja nicht erst zum Republikaner werden mußte. Sein angeblicher »Umfall« wurde ihm nie verziehen. Man hätte ihn zu gerne unter den geistigen Führern der nationalen Opposition gegen die Weimarer Republik gewußt. Statt dessen wurde er täglich mehr zum geistigen Repräsentanten dieser Republik.

»Que diable allait-il faire dans cette galère?« stand als Motto über den »Betrachtungen«. Thomas Manns Antwort lautete: den »Zauberberg«. Der große, 1924 erschienene Roman ist zweifellos in vielem ein Ergebnis der inneren Auseinandersetzungen der Kriegsjahre. Spricht man vom »Zauberberg«, so ist man immer ein wenig geneigt, das ganze Romanwerk zu reduzieren auf die heftigen und geistvollen Auseinandersetzungen zwischen Settembrini, dem kränklichen, persönlich sympathischen Tugenddemokraten in der Nachfolge Giuseppe Mazzinis – und Leo

Naphta, jenem finsteren, in der Debatte außerordentlich ge-
schickten Jesuitenjünger, zwei Figuren, welche in seltener Reinheit die beiden ideologischen Prinzipien des Westens und Ostens
inkarnieren und interpretieren, und zwischen denen Deutschland, als »Land der Mitte«, zu wählen hat. Doch gerade, wenn
eine Studie wie die unsere sich nicht an der ganzen Romandich-
tung, wohl aber an jener ideologischen Auseinandersetzung orientiert, tut es not zu betonen, wie viel reicher, universaler und le-
bensvoller, trotz ihrer »dünnen Luft«, die Welt des Mannschen
Zauberberges ist.

Thomas Mann sagte schon in der Vorrede zu seinen »Betrachtungen«, daß jedes dichterische Werk, das er in den Kriegsjahren
in Angriff genommen hätte, intellektuell überfrachtet worden
wäre.[53] So erschien es ihm denn auch besser, sich die »Betrachtungen« von der Seele zu schreiben, um dann, wie er meinte, an
den verwaisten Werktisch zurückkehren zu können. Als der
»Zauberberg« erschien, war das republikanische Bekenntnis des
Dichters schon abgelegt. Ist der »Zauberberg«, der vor dem Ausbruch des Weltkrieges in einem Schweizer Höhensanatorium
spielt, darum ein prodemokratisches Buch, wie die antidemokratischen Gegner Manns zu sehen meinten?

Der Roman ist weder für noch gegen die Demokratie. Die Demokratie ist darin gar kein eigentliches Thema, auch wenn man
sich nur auf die Auseinandersetzungen zwischen Settembrini
und Naphta konzentriert. Das Thema ist vielmehr die Haltung
des Deutschen Hans Castorp zwischen den beiden ideologischen
Fronten, die ihn beide mit allen rhetorischen Mitteln für sich zu
gewinnen trachten. Naphta vertritt eine Art östliches Prinzip,
mythisch, vernunftskeptisch, dunkel, tief, mit Anklängen an die
Barbarei und den kämpferischen Vitalismus, Settembrini das
Gesunde, Helle, Klare, den radikalen Fortschrittsoptimismus,
das Licht, das jedoch nicht die Tiefen auszustrahlen vermag.
Hans Castorp, mit ruhiger Intelligenz ausgestattet, doch ohne
weltanschaulichen Festpunkt, wird nun von beiden umworben,
und der pädagogische Kampf um die Gewinnung des Zöglings

ist tatsächlich eine der hervorragendsten Leistungen des Buches.
Doch ein Ergebnis gibt es nicht. Hans Castorp fühlt sich menschlich dem »Septembermann« zwar ein wenig näher als dem
tiefsinnig-dunklen Naphta, aber sehr oft kann er nicht umhin,
dessen Argumente überzeugender zu finden als die seines ratio-
nalistischen Widersachers. Es wäre einseitig zu sagen, Settembrini vertrete die Demokratie und Naphta sei ein Faschist. Doch
richtig ist, daß Settembrini eine bestimmte Version des radikalen
prodemokratischen Vernunftliteraten darstellt, nur daß diese
Position, im Gegensatz zu den »Betrachtungen«, mit Kenntnis
und Witz beschrieben und nicht mit Haß und wütenden Argu-
menten verfolgt wird. Naphta hingegen repräsentiert – geistig
gesehen – nicht, wie man annehmen könnte, den Thomas Mann
zur Zeit der »Betrachtungen«. Vielmehr ist in diesen Naphta
manches von dem eingegangen, was Thomas Mann seit 1922
immer von neuem als *sentimentale Roheit, als Kult des Unteren,
als intuitionistische Lebensforschung* etc. angegriffen hat, Naphta
ist zwar zu einem gewissen Teil ein Vertreter deutsch-romanti-
scher Bürgerlichkeit; sein Sinn für das Leiden, das Kranke, kurz:
seine Sympathie mit dem Tode, teilt er mit dem Thomas Mann
der »Betrachtungen«, doch ist der Gegensatz Settembrini–
Naphta keine simple Wiederholung des Gegensatzes Heinrich–Thomas, denn die Gestalt Naphtas ist durch eine Reihe von
Charakterzügen und Denkschemata angereichert, die auch dem
Thomas Mann der »Betrachtungen« nicht entsprachen. Vielmehr darf man in diesem Naphta bereits eine Vorwegnahme
jener antidemokratischen, dem Irrationalen offenen Intellektu-
ellenfigur sehen, deren Aktivität sich nach Thomas Manns Ansicht auf die politischen Verhältnisse der Weimarer Zeit so ver-
hängnisvoll auswirken mußte. Thomas Mann als Verfasser des
Zauberbergs identifiziert sich am ehesten mit Hans Castorp, und
es gibt auch eine Stelle in den Briefen an Ernst Bertram, wo er
sich als H. C. bezeichnet.[54] Der Thomas Mann des Jahres 1924,
in dem der »Zauberberg« erschien, ist bereits jener, welcher sich
für die Akzentuierung der Lebensseite entschieden hatte, weil er

fürchtete, das aristokratische Todesprinzip sei momentan zu
mächtig und gefährde das Leben. Darum, so darf man wohl deuten, ist es auch Naphta, der in dem geisterhaften Duell mit Settembrini seinem Leben ein Ende macht, während Hans Castorp,
schwankend und unsicher, bei wem wohl die reine Wahrheit sei,
doch erleuchtet genug zu wissen, daß sie weder ganz auf der
einen noch ganz auf der anderen Seite zu finden ist, sich in das
blutige Getümmel des Krieges stürzt. So werden also in diesem
Buch die geistigen Prinzipien des Zeitalters in ihrer scharfen Widersprüchlichkeit einander entgegengestellt und auf die »deutsche Mitte« losgelassen. Naphta und Settembrini sind Kunstfi-
guren. Kein liberaler Demokrat, der Politik treibt, spricht so wie
Settembrini, und die Faschisten, falls Naphta ein solcher andeu-
tungsweise wäre, haben in Naphta gewiß nicht ihresgleichen gesehen.

Doch dienen die Figuren in ihrer Bezogenheit auf Castorp
dazu, im Leser eine Art Amalgamierung der beiden Prinzipien
vorzubereiten, d. h. mit Settembrini etwas Neues zu gestalten,
ohne Naphta ganz aus dem Spiele zu lassen. Denn der rationali-
stische Demokrat, Individualist und Literat vermag keine Gemeinschaft zu bilden; Naphtas Bund mit den dunklen Mächten
hingegen hat etwas Zerstörerisches; sein Wille zur Gemeinschaft,
zum Kollektiven, zum Wesentlichen des Menschen bedarf der
Ergänzung und Kontrolle durch Aufklärung, durch Vernunft. Er
braucht Settembrinis wachen Glauben an das Gute, an das Licht.

Thomas Mann hat mit dem »Zauberberg« kein politisches
Buch geschrieben. Der große Roman verbleibt stets in jener ironischen Distanziertheit von den Personen und Dingen, die eine
Identifikation des Lesers mit ihnen so gut wie ausschließt. Dieses
ironische Hin- und Herspielen, das in hervorragender Weise
einer Sache Gerechtigkeit widerfahren läßt, indem es auch die
andere Seite bedenkt, so daß sozusagen die Rechte immer weiß,
was die Linke tut, unterscheidet in frappierender Weise Thomas
Manns künstlerische von seinen Bekenntnisschriften. In seinen
Zeitromanen begegnet er uns als der empfindliche Seismograph

geistiger Zeitströmungen, die er in bestimmten Figuren künstlerisch verdichtet; in seinen Bekenntnisstücken zu Zeitfragen, in seinen Essays und Polemiken ist er hingegen immer derjenige, der sich entscheidet, der Partei ergreift, der also nicht nur beschreibt, was er sieht, sondern sagt, wie es nach seiner Meinung sein soll, bzw. warum es nicht so sein darf, wie es ist.

Im Erscheinungsjahr des »Zauberberg« sagte Thomas Mann vor dem PEN-Club in Amsterdam: *Es ist der europäische Augenblick gekommen, wo eine überbewußte Betonung der demokratischen Lebensidee vor dem aristokratischen Todesprinzip zur vitalen Notwendigkeit geworden ist.*[55]

Deutschland, so erklärte er einem französischen Journalisten, der sich mit ihm über den »Zauberberg« unterhielt, *steht zwischen Ost und West als das Land der Mitte. Die Möglichkeit der höheren Synthese muß immer gewahrt bleiben ... Doch ich lege heute für meine Person das Gewicht ganz bewußt mehr auf die westliche Seite.*[56]

Und vor dem PEN-Club in Warschau im Jahre 1924: *Der Traum der Humanität, die Idee des Ausgleichs und der Vereinigung ist es, die uns Deutsche hindert, in diesem historischen Widerstreit (zwischen Ost und West) voreilig und einseitig Partei zu ergreifen. Unsere Mitte grenzt an den Osten sowie an den Westen, unsere Seelenlage hat teil an beiden Sphären, und unsere Freiheit ist Vorbehalt gegen extreme und militante Alternativen, sie zielt ab auf ein letztes, auf ein endgültig Menschliches.*[57]

Dies war die Botschaft vom Zauberberg. Warum nun die Gewichtsverlagerung? Warum die Akzentuierung der demokratischen Lebensidee gegenüber dem deutsch-romantischen Todesprinzip? Die militante und extreme Alternative waren während des Weltkrieges, so schien es Thomas Mann, die radikaldemokratischen Deklamationen des westlichen Zivilisationsliteraten gewesen; jetzt kamen die extremen Anschauungen aus den Gehirnen deutscher Intellektueller, die alles Europäisch-Humanistische aus deutscher Geistestradition entfernen wollten und die sich politisch als Völkische, Jungkonservative und Nationalrevolutionäre oder als Deutschnationale für die »Befreiung von westlicher Bevormundung« einsetzten. Ihnen, die eine Revolution aus konservativem Geiste anstrebten, setzte Thomas Mann das Bekenntnis zur Vernunft entgegen, um der Mitte als Raum deutscher Selbstentfaltung zwischen Ost und West die Lebensmöglichkeit zu erhalten.

6

Gegen die falsche konservative Revolution

Die romantisch-antirationalistischen Geistestendenzen, die sich in den zwanziger und dreißiger Jahren noch einmal zu neuer, mitunter giftiger Blüte entfalteten, waren in vielerlei Richtungen und auch Idiosynkrasien aufgefächert. Da waren die vielen Unpolitisch-Geistigen, die mit Ludwig Klages den Geist qua Intellekt überhaupt ächteten und ihn als Zerstörer und Widersacher der Seele verurteilten. Sie fanden mehr Wahrheit im Mythos, in den Erscheinungen der Tiefe und im Wege des Schauens als in positivistisch flacher Intellektualität und rationaler Analyse. Die Position war so unhaltbar nicht, denn der Positivismus war als Gegenposition nicht sehr eindrucksvoll, aber sie war kläglich einseitig, und sie führte in epigonenhafter Nachfolge zu einer so ungestümen und kurzschlüssigen Herabsetzung alles Rationalen, zur totalen Ächtung der Vernunft und zu einer Verherrlichung des blutmäßigen, instinkthaften, vom Geiste nicht »verdorbenen« Lebens, daß einem schon angst und bange werden konnte, wenn man sich vorstellte, daß solche Geistverachtung und Blut- und Bodenmystik dereinst nicht nur in Büchern zu finden sein würde.

Es war schon ein Stück weiter auf dem Wege zu einer geistverachtenden politischen Wirklichkeit, wenn F. G. Jünger in einer 1926 erschienenen nationalistischen Streitschrift die »Blutgemeinschaft« über die »Geistgemeinschaft« stellte und sog. Nationalrevolutionäre sich anschickten, mit diesen Vorstellungen Ernst zu machen. F. G. Jünger schrieb: »Der Nationalismus hat etwas Berauschendes, einen wilden, blutmäßigen Stolz, ein heroisches, mächtiges Lebensgefühl. Er besitzt keine kritischen, analysierenden Neigungen. Er will keine Toleranz, denn das Leben kennt sie nicht. Er ist fanatisch, denn alles Blutmäßige ist fanatisch ungerecht ... Eine Blutgemeinschaft rechtfertigt sich nicht, sie lebt, sie ist da, ohne die Notwendigkeit einer intellektuellen Rechtfertigung zu empfinden.«[58]

Es war Mode, damals in Deutschland, den Intellekt zu verhöhnen und Seele und Mythos als die schöpferischen Kräfte des Lebens zu preisen, und der Schritt vom Mythos zum nationalen Mythos, von der Seele zur deutschen Seele mit ihrer germanischen oder nordischen Blutsubstanz, oft nur ein geringer. »Volkheit ist Glaube und Wachstum. Intellektualismus ist Skeptizismus und Dürre. Der Geist ist in der Volkheit; bei dem Intellektualismus ist nur Gewitztheit ... Wichtiger als alle Vivisektion des Intellektualismus ist das Wachstum eines nationalen Mythos, eines Mythos nicht aus den Nerven geschwitzt, sondern aus dem Blute blühend, denn nicht der Rationalismus, der Mythos zeugt Leben.«[59] So las man's.

Die so vielen »geistigen Vertretern« liebgewordene Verachtung des Intellekts, des Organs der »Gescheitheit«, gegenüber den sogenannten Grundkräften der Seele, grassierte derartig stark, daß Thomas Mann 1927 mit Recht sagte: *Leider ist es beinahe an dem, daß, wer in Deutschland Spuren von Gescheitheit an den Tag legt, sogleich für einen Juden gehalten wird und damit denn also erledigt ist. Gescheitheit, was die Irrationalisten und Mystiker auch sagen mögen, ist heute ein Lebenswert ersten Ranges.*[60]

Warum ein Lebenswert ersten Ranges? Wenn Taten, so führte Thomas Mann aus, wie der Mord an Walther Rathenau, Taten des Gemütes sind, und sie sind es, dann ist die Verherrlichung des Gemüts ein verbrecherischer Widersinn, denn der Verstand darf nicht zulassen, daß aus der Gemütstiefe heraus Schreckliches, ja Hirnverbranntes geschieht.[61] Das Gemüt, so wichtig es ist, und der Künstler wisse das sehr wohl, bedürfe der kontrollierenden Instanz des Verstandes, und es habe diesen Verstand vor allem in einer Sphäre nötig, in der nicht Gemüt und Leidenschaft, nicht Begeisterung und irrationale, mystische Hingegebenheit regieren dürfen, wenn menschlich erträgliche Verhältnisse geschaffen werden sollen: in der Sphäre des Gesellschaftlich-Politischen.

Die nationale Opposition gegen den Weimarer Staat gefiel sich darin, die Weimarer Staatsschöpfung als eine Ausgeburt seelenlosen westlichen Verständlertums abzuwerten, als ein politisches Gebilde, in dem nicht die organische Staatstradition des Reiches verkörpert sei, in dem das Volk nicht zu einer leibseelischen Gemeinschaft zusammengewachsen, sondern, in Klassen zerrissen, als Masse vegetiere. Sie sah in der Republik einen Staat, dessen Verfassung vom wahren Leben des Volkstums und seinen untergründigen Kräften nichts wisse, sondern das vielgestaltige völkische Leben in mechanistisch-dürren Formalbestimmungen ersticke; eine seelenlose Regierungsmaschine ohne jede innere Beziehung zu den tiefen Kräften unserer Geschichte; keine Gemeinschaft, sondern einen von widerstreitenden Interessen regierten Gesellschaftsverband, feindlichen, d. h. volksfremden Ideologien hörig. Solcher Art war – sofern man nicht zu schärferen rhetorischen Mitteln griff – das Bild, das »national« gesinnte Deutsche in manchen ihrer Zeitungen und Zeitschriften von der Weimarer Republik gewinnen mußten.[62]

Aus der Verachtung des Geistes und der Kultivierung des Mythos und der Seele wurde, ohne allzu große intellektuelle Artistik, die Verachtung der parlamentarischen Demokratie mit ihrem Mehrheitsprinzip, die Verunglimpfung der Parteien, der erbitterte Widerstand gegen jede Politik der Versöhnung und Verständigung mit dem westlichen Ausland. Die Gegenstände der nationalen Bemühung Thomas Manns aus den Kriegsjahren waren hier freilich ins Wilde, Groteske verzerrt; und selbst der jedem Hauch eines republikanischen Bekenntnisses ferne »Zauberberg« wurde als zu versöhnlich empfunden; man blies zum Angriff gegen den Zauberberg: »Ihr Gefallenen im großen Kriege! Steht auf aus euren Gräbern und pilgert nach dem Zauberberg und hört die Zaubertöne des großen europäischen Sozietärs, der mit seinem Spiele jene Elemente ›versöhnen‹ will, für

deren Scheidung und reinliche Gestaltung ihr euren letzten
Blutstropfen verspritzt habt ...

Ach! erlebten wir bald den Tag, an dem eine junge, kühne
Mannschaft sich gegen den Zauberberg hinaufbewegt, mit Holz-
fälleräxten, die einen langen Stiel und eine breite Schneide
haben, und mit diesen prachtvollen Äxten den ganzen Zauberberg in Scherben und Trümmer schlägt. Vielleicht deckt ihn
dann der gütige Schnee ... zu, und der trübe Dunst und die See-
lentuberkeln fliegen in alle Winde.« (F. G. Jünger)[63]

War es da zuviel der Kühnheit, als Thomas Mann in einem Interview mit der Pariser Wochenzeitung »Comedia« dem deutschen Nationalismus die Geistfähigkeit absprach? War es fehl
am Platze, daß er immer aufs neue die Deutschen beschwor, sie
sollten dem *geistwidrigen Unfug*, den sie trieben, entraten und
sich wieder auf ihre Vernunft besinnen? Statt dessen versicherte
F. G. Jünger voller Stolz, die nationalistische Gesinnung sei in der
Tat nicht geistfähig, »aber zum Teufel dann mit jenem Geist, dessen herrische Muskeln vertrocknet sind, zum Teufel mit den
Spermen des Gehirns, die keine Söhne und Enkel zeugen werden«![64]

Das war die Sprache des revolutionären deutschen Nationalismus. Das war der stolze Triumph des vom Schicksal heimge-
suchten und auserkorenen Frontsoldaten über den dünnblüti-
gen Literaten. Das war die Auflehnung der völkischen oder der
Rassenseele gegen den Geist der Kultur und Zivilisation. Das
war das Auftrumpfen herrischen und vermeintlich heroischen
Landsknechtstums gegen den Adel des Geistes und der Gesittung. Aus solchen Kräften sollte Deutschlands Zukunft werden,
und wundert es noch jemand, wenn man mit Thomas Mann
behauptet, daß die nationalsozialistische Massenbewegung aus
dieser zuchtlosen Empörung über Geist und Gesittung, aus
dem billigen Triumph der Seele über den Geist, ihren Nutzen gezogen hat? Thomas Mann selbst hat es lange vor 1933 ausgesprochen, und er war einer der ganz wenigen, die beizeiten er-
kannten, wohin dieser Aufstand des Geistes würde führen

können und wie er sich politisch würde in Dienst nehmen lassen, weil er im Grund unpolitisch-einfältig und darum sehr deutsch war.

Der Nationalsozialismus, so lesen wir in seiner zweiten großen politischen Rede, der Deutschen Ansprache des Jahres 1930, hätte als Massen-Gefühls-Überzeugung nicht die Macht und den Umfang gewinnen können, die er jetzt erwiesen, wenn ihm nicht, der großen Mehrzahl seiner Träger unbewußt, aus geistigen Quellen ein Sukkurs käme, der, wie alles Zeitgeboren-Geistige, eine relative Wahrheit, Gesetzlichkeit und logische Notwendigkeit besitzt und davon an die populäre Wirklichkeit abgibt ...[65]

Thomas Mann wußte viel zu gut um die relative Berechtigung der Kritik am Rationalismus, als daß er für solche Kritik kein Verständnis gehabt hätte. Allein, wo sich der Irrationalismus absolut setzte und der Ratio kein Daseinsrecht mehr gewähren wollte, da sträubte er sich gegen solche wilden Verabsolutierungen und vertrat die Einsicht, daß der Geist ohnehin weit mehr des Schutzes bedürfe als die triebhafte Dynamik, daß also der ganze zeitgenössische Aufstand gegen den Geist, jene totale Abdikation der Vernunft vor den Mächten des Lebens, die Menschlichkeit weit schlimmer gefährde als die radikale Geistigkeit des Zivilisationsliteraten. Seine Position in den Weimarer Jahren ist also ganz unzweideutig: Thomas Mann wendet sich gegen die verhängnisvolle Popularisierung des Irrationalen, denn es könne nicht gut gehen, wenn der Geist dermaßen verhöhnt und verteufelt werde, wie das in den Spalten der nationalistischen Zeitschriften und den literarischen Produkten konservativer Revolutionäre geradezu wollüstig geschah.

So wie Thomas Mann im Weltkrieg gegen Demokratie und Politik polemisiert hatte, polemisiert er jetzt, angesichts eines sich ständig weiter ausbreitenden »Tiefenkultes« gegen den *slogan* einer Konservativen Revolution, der so viele Vertreter des deutschen Geisteslebens in seinen Bann schlug, namentlich die studentische Jugend. Über Nacht, so heißt es in den einleitenden Worten zu einem Lessing-Vortrag, hätten sie das Bild der Revo-

lution gestohlen und es ins reaktionäre Lager geschleppt, und
nun stellten sie »konservative Revolution« damit an, ein Spiel,
von dem nur Vaterlandsverräter sich ausschlössen und bei dem
das Rückständig-Abgestandenste nun auf einmal im Lichte der
Kühnheit und Jugend erscheine.[66]

*Das Wort revolutionär steht hier in einem paradoxen und nach
logischer Üblichkeit verkehrten Sinn; denn während wir sonst ge-
wohnt sind, den Begriff des Revolutionären an die Mächte des Lich-
tes und der Vernunftemanzipation, an die Idee der Zukunft also zu
knüpfen, lauten Botschaft und Aufruf hier durchaus entgegengesetzt: im Sinne nämlich des großen Zurück ins Nächtige, Heilig-Ur-
sprüngliche, Lebensträchtig-Vorbewußte, in den mythisch-histo-
risch-romantischen Mutterschoß. Das ist das Wort der Reaktion …
Nicht etwa, daß hier die Einsicht in die Schwäche von Geist und
Vernunft, ihre oft erwiesene Unfähigkeit, das Leben zu bestimmen,
den Wunsch einflößte, sie zu schützen: im Gegenteil, man behandelt sie in dieser Schule, als bestünde die Gefahr, sie könnten je zu
stark werden, es könnte je zuviel davon geben auf Erden; des Geistes
Ohnmacht ist hier ein Grund mehr, ihn zu hassen und ihn als To-
tengräber des Lebens religiös zu verrufen.*[67]

Die konservativen Revolutionäre der Weimarer Republik freilich fanden, daß im Deutschland der industriellen Massengesell-
schaft noch immer zuviel Verstandeskultur herrsche. Sie wollten
den »organischen Leib der Nation«; sie sprachen von der Sehn-
sucht nach den Tiefen des Lebens, die in den Strömen ihres Blutes rausche und aus ihren Augen leuchte. Sie predigten die Wie-
derinachtsetzung »aller jener elementaren Gesetze und Werte,
ohne welche der Mensch den Zusammenhang mit der Natur und
mit Gott verliert und keine wahre Ordnung aufbauen kann«.[68]
Doch wie sollte die wahre Ordnung aussehen? Sie träumten von
einem organischen Staatswesen, mit einem vom Schicksal be-
stellten kraftvollen Führer an der Spitze, sie wähnten sich als Elite
von echter deutscher Staatsgesinnung zu den Geschäften der politischen Führung und zur geistigen Durchdringung des Volkes
berufen, sie verachteten die demokratische Gleichheit und woll-

ten sie ersetzt sehen durch »innere Wertigkeit«, sie forderten den ständisch gestuften hierarchischen Staat. Da aber der Weimarer Staat parlamentarisch und demokratisch konstruiert war und also fern jener »höheren« politischen Ordnung, von der sie weissagten, hielten sie es für die Gegenwartsaufgabe des Konservativismus ihrer Prägung, zu zerstören und sich revolutionär, d. h. umstürzlerisch zu gebärden. Man sprach vom Bleibenden und vom Ewigen, von der »existentiellen Substanz«, auf der der neue Staat beruhe, und von der Unterlegenheit des intellektuellen Räsonnements, welches die Gegenseite pflege. Die Ratio, so wußten sie überheblich, habe ständig wechselnde ideale, der neue, revolutionäre Konservativismus hingegen sei eine ewige menschliche Haltung, im Bunde mit den natürlichen Mächten und somit auch im Bunde mit Gott und seiner Schöpfungsordnung, die eben keine politische Vernunftordnung sei.[69]

Solcher Art war die Sprache der konservativen Revolutionäre, und gar der besten unter ihnen. In solchen Visionen bewegte sich das nationale Pathos eines guten Teiles der jungen Generation. Man definierte mit E. Jünger den Nationalismus als eine Bewegung, die ein neues Verhältnis zum Elementaren, zum Mutterboden gefunden habe ... »Er ist keine Idee unter anderen Ideen. Er sucht nicht das Meßbare, sondern das Maß. Er ist die sichere Zuflucht zum mütterlichen Sein, das in jedem Jahrhundert neue Gestalten aus sich gebiert.«[70]

Thomas Mann hatte also so unrecht nicht, wenn er die politische Opposition gegen die Weimarer Republik mit dem geistigen Irrationalismus in Verbindung brachte, der damals so gängig war, daß man Gefahr lief, als dürrer Rationalist verschrieen zu werden, wenn man auch nur leise die relative Berechtigung der Ratio geltend machte. Das, was Thomas Mann für den »Unpolitischen« hatte gelten lassen wollen und was für den Menschen als Menschen gilt, daß nämlich die Ratio ihn nicht voll auszuschöpfen vermag, und daß das Politische im Vernunftsinne nicht das Wesentliche des Menschen zu erreichen imstande ist, welches jenseits des Politischen, im Metaphysischen liegt, – das wurde hier bedenkenlos ins Politische ausgeweitet und damit irrig und politisch gefährlich. Denn wenn es richtig ist, daß eine staatliche Lebensordnung als solche nicht den Menschen zum Menschen macht, so wird es töricht und unmenschlich, die seelischen und metaphysischen Kategorien ins Volkhafte und damit ins Politische ausweiten zu wollen. Genau solches geschah aber im Zeichen einer konservativen Revolution.

Der Begriff der Konservativen Revolution war Thomas Mann teuer. Er benutzte ihn schon 1920, er hat ihn wahrscheinlich sogar geprägt. Hofmannsthal hat ihn erst später gebraucht, aber mit seiner Rede vom »Schrifttum als geistigem Raum der Nation« (1927) in Deutschland heimisch gemacht. Später, in der Schweizer Emigration, sollte Thomas Mann bei der Einführung der von ihm herausgegebenen Zeitschrift »Maß und Wert« Gelegenheit haben, *seine* Vorstellung von »konservativer Revolution«, der die Zeitschrift dienen sollte, vorzutragen.

Man kann Thomas Manns fast unablässige Beschwörung der Weimarer Intellektuellen, dem ungeistigen Mummenschanz einer konservativen Revolution und eines Kultes des Seelenuntersten abzuschwören, nur verstehen und in ihrer außerordentlichen geistigen Bedeutung würdigen, wenn man sich auch nur annäherungsweise einen Eindruck von der reißenden antiintellektuellen, irrationalistischen Gedankenflut verschafft, die damals über Deutschland und z. T. auch über Europa hinwegging. Daß diese Flut so mächtig werden konnte und europäische Ausmaße annahm, bezeugt freilich auch ihre relative innere Notwendigkeit. Aber Thomas Mann sah deutlich voraus, wie unheilvoll es werden mußte, wenn sich eine Lebensanschauung durchsetzte, die den vitalen Mächten und Trieben allein das Handwerk des Gestaltens überließ. Er sah es mit eigenen Augen in jenem unseligen Deutschland, das eine politische Massenbewegung hervorbrachte, die im wesentlichen nur von jener Blindheit des Geistes im Politischen profitierte, weil man aller Kontrolle der Vernunft entsagt hatte, und als machtvolle Demonstration deutscher Seelenkraft bewunderte, was vielfach nur

unschönes Ressentiment und primitivste Begehrlichkeit und
Machtlüsternheit war. Mochte F. G. Jünger sich die Zertrümme-
rung des Zauberbergs ein wenig anders vorgestellt haben, das
Schauspiel fand jedenfalls statt, als man kurze Zeit nach Hitlers
Machtübernahme die Werke Thomas Manns und anderer deutscher Schriftsteller unter flammenden Anklagen als »undeutsch«
dem Scheiterhaufen übergab. Was Thomas Mann befürchtet
hatte, als er diesen Geist sich in Deutschland ausbreiten und
gegen die Republik aggressiv werden sah, trat ein: Die Vernunft
wurde unter das Gefühl hinabgedrückt, die neue Wissenschaft
vom Irrationalen, in der fraglos ein richtiger Kern steckte, dien-
te in ihrer wilden Politisierung den Kräften, die von sich behaupteten, die deutsche Nation erneuern und heilen zu wollen,
und die ihr schließlich die größte Katastrophe ihrer Geschichte
bereiteten.

Da war es freilich noch allzu subtil gedacht, wenn Thomas
Mann anfangs davon sprach, daß man die Sympathie mit dem
Tode in dieser Zeit nicht zu stark betonen dürfe, vielmehr der demokratischen Lebensidee Zuspruch geben müsse. Weitaus
gemäßer war es, von Obskurantismus zu sprechen, wie er es später tat, von den Mächten der Verdunkelung, deren Begierde das
Absolute sei. Natürlich bescheinigte man Thomas Mann von ob-
skurantistischer Seite, daß er von dem tiefen Drängen des deutschen Volkes nach Erneuerung gar nichts verstehe, auch nichts
verstehen könne. »Thomas Mann kann aus seiner Stellung, Haltung, Geistigkeit, Morbidheit und völlig volks- und erdfremden
Gebundenheit an diese weltstädtische Intellektualität diese tiefen, dunklen, religiösen und deshalb heldisch-unbürgerlichen
Ströme nicht verstehen ... Der Fall Thomas Mann ist ein trauri-
ger Fall. Ein blamabler Fall. Ein erledigter Fall.«[71]

Autoren wie C. Hotzel, der solches in der Hugenbergschen
»Deutschen Zeitung« schrieb, nachdem Thomas Mann in Berlin
seinen »Appell an die Vernunft« vorgetragen hatte, mochten sich
freilich von der Geschichte bestätigt fühlen, als Thomas Manns
Geistigkeit im offiziellen Deutschland der Hitler und Genossen

nicht mehr gefragt war. Dennoch war Thomas Mann der Wei-
terblickende, als er 1927 an Dr.

Supf in Paris schrieb:

*Ich hasse die falschen, verwirrenden Alternativen, deren Liebha-
ber und Verfechter über den modischen Augenblick, einen allenfalls
korrekten Rückschlag des Geistes, nicht einen Augenblick hinaus-
sehen. Rationalismus, Intellektualismus, liberale Bürgerlichkeit –
oder die zähneknirschende Ideenverleugnung, die sich heute in bru-
taler Begeisterung als ›Das Neue‹ und als das ›Leben‹ feiert; eine andere Entscheidung gibt es nicht in den Augen einer Art von Jugend,
die mit dem Begriff der Humanität für alle Zeiten aufgeräumt zu
haben meint und das Hakenkreuz froher Entmenschung auf ihre
Fahnen gestickt hat. Mir ist zumute, als ob eine solche Beschränkt-
heit im Lande Goethes und Nietzsches beschämend sei.*

Und etwas weiter vorn heißt es in demselben Brief:

*Es ist sehr möglich, daß der faszistische Anti-Idealismus die all-
gemeine Geistesform von 1930 sein wird. Es wird aber erlaubt sein,
bis 1950 zu denken, und für möglich zu halten, daß hundertmal als
›liberal‹ bestatteten Ideen und Bedürfnissen, deren Befriedigung
Europa sich nicht lange und radikal versagt, ohne auf den Hund zu
kommen, eine überraschende Renaissance aufgespart sein könnte.*[72]

Es ist uns Heutigen nicht mehr zweifelhaft, auf wessen Seite
damals die Kurzsichtigkeit war. *Das Böse zu prophezeien*, so en-
dete Thomas Mann im Jahre 1927 einen Artikel in der »Kölni-
schen Zeitung«, *ist ja nur eine verzweifelte Art, das Gute zu fordern.*[73] Thomas Mann tat damals beides, und er tat es deutlich
und oft genug. Er warnte vor dem Obskurantismus einer geistwidrigen populären Lebensphilosophie und verhehlte auch
nicht, bei welchen konkreten politischen Kräften und Ideen er
stünde. Er fand freundliche und eindringliche Worte für einen
Zusammenschluß Europas im Sinne der paneuropäischen Bewegung; er war kühn und vorurteilslos genug, dem deutschen Bürgertum in seinem verstockten, geistwidrigen Nationalismus die
Sozialdemokratie als kulturwürdig und fortschrittlich zu empfehlen. Er warnte 1925 vor einer Wahl Hindenburgs, jenes
Recken der Vorzeit, zum Reichspräsidenten, er tat selbst sein Be-

stes, um eine Versöhnung mit Frankreich in die Wege zu leiten; er knüpfte freundliche Beziehungen zu den polnischen Nachbarn und Künstlern; er unterstützte die Außenpolitik Stresemanns und empfand sein Hinscheiden als einen unersetzlichen Verlust für die deutsche Politik. Er hatte im Reichspräsidenten Ebert einen ehrlichen, geraden, durch und durch bürgerlichen Mann von staatsmännischem Format geschätzt. Sind diese Einschätzungen bezeichnend für seinen wachen politischen Sinn, so bleibt als seine eigentliche politische Leistung in der Weimarer Zeit die tätige Nutzanwendung einer eigenen und bedeutsamen Erkenntnis: *In jeder geistigen Haltung ist das Politische latent.*[74]

Man kann die politischen Begriffe Thomas Manns der Unklarheit und Verschwommenheit zeihen – man braucht nur an seinen Gebrauch des Terminus Demokratie zu erinnern, um dafür ein Beispiel zu haben –, in diesem einen Punkte sah er jedenfalls ganz klar: Politische Haltungen werden von einer geistigen Struktur bewirkt, und auch das vermeintlich Unpolitische verdichtet sich zu einer bestimmten – keineswegs zufälligen – politischen Haltung. Die Erforscher des Irrationalen merken nämlich zumeist gar nicht, wie ihr anthropologischer Pessimismus, der sie mit soviel Gewinn an einem vertieften Welt- und Menschenbilde arbeiten läßt, unter der Hand von den politischen Mächten der Reaktion zu einem »Defaitismus der Humanität« verdreht wird. Welcher politische Parteigänger einer »konservativen Revolution« hat nicht damals mit beredten Worten auf die Gehalte der philosophisch-irrationalen Geistesströmung verwiesen und sie für seine politischen Schlußfolgerungen gegen den Weimarer Staat mit Nutz und Frommen herangezogen! Indem sie den Geist der Seele, und damit der Natur, den Instinkten, dem Willen zur Macht überantworteten, begaben sie sich freilich von vornherein jeder geistigen Einwirkung auf die Politik, wurden ihre Handlanger, auch wo sie jene im einzelnen nicht zu billigen vermochten. Ernst Jünger sprach in den Weimarer Jahren einmal von dem hohen Genuß, den es ihm bereite, am »Hochverrat des Geistes gegen den Geist« beteiligt zu sein. Was

sollte dem Geist, der ohnehin nicht mächtig ist in der Welt, noch
übrig bleiben an Eigenem, an Widerstandskraft, wenn man ihn
so inbrünstig an die vitalen Mächte veräußerte und sich darin
noch wohlgefiel?

Dies war die Haltung, die Thomas Mann einfach nicht verstand und die abzuwehren er seine ganze Kraft und seine ganze
Beredsamkeit aufwandte. Der Nationalsozialismus machte noch
nicht von sich reden, da fürchtete Thomas Mann schon die ne-
gativen Auswirkungen der ins Populäre abgerutschten und nun
ungehemmter Politisierung fähigen Lebensphilosophie. Er fand
keine guten Worte für jenes vulgärwissenschaftliche Literatentum, welches den in der Sphäre reiner Erkenntnis vom Menschen
durchaus revolutionären Irrationalismus und Chthonismus auf
Gebiete übertragen habe, wo sie schlechterdings nichts zu suchen
hätten und wo ihre tendenziöse Propagierung und Ausbeutung
zum bösartigen Mißbrauch werde. Dieses konservative Literatentum mit seinen aristokratischen Quertreibern schaffe der
schimpflichsten Reaktion durch seine halbsympathisierende
Apathie freie Bahn. Wenn es sich jedoch um das Vernünftig-
Notwendige und um das menschlich Anständige handle, stehe es
auf und schwatze von immanenter Tragik und vom Irrationalen.[75]

Glanz und Elend geistiger Repräsentation

An zahlreichen Stellen hat Thomas Mann in seinen Reden und Aufsätzen zur Zeit der Weimarer Republik darauf hingewiesen, daß die nationale Idee, die im 19. Jahrhundert ihre große Zeit bewiesen habe, mittlerweile zu einer Vergangenheitsidee geworden sei. Die Bindung an Heimat, Scholle, Vaterland und Volkskultur sei eine natürliche Gegebenheit und bleibe darum heilig und unzerstörbar, doch dürfe man sie nicht zur verpflichtenden Leitidee des politischen und sozialen Lebens machen. Jeder Mensch von Gefühl und Verstand, auch jeder besonnene Politiker wisse, daß die Völker Europas heute nicht mehr einzeln und abgeschlossen für sich leben und zu gedeihen vermögen, sondern daß sie aufeinander angewiesen sind und eine Schicksalsgemeinschaft bilden, die es anzuerkennen und zu verwirklichen gelte. Solcher Lebensnotwendigkeit irgendwelche völkische Natur-Romantik als Argument entgegenzustellen sei nichts als Quertreiberei.

Durchaus im Dienste des europäischen Gedankens standen denn auch seine zahlreichen Reisen ins Ausland, darunter erstmals 1926 eine Reise nach Paris, wo er auf Einladung einer amerikanischen Stiftung vor einigen der wichtigsten Vertreter des französischen Kulturlebens sprach. Thomas Mann hat diesen Aufenthalt in einer längeren Abhandlung unter dem Titel »Pariser Rechenschaft« ausführlich beschrieben. Er war damals bereits ganz von der Erkenntnis durchdrungen, daß das deutsche Denken niemals in dem Grade, wie dies geschehen sei, die Fühlung mit dem westeuropäischen Denken hätte verlieren dürfen. Darin wußte Thomas Mann sich im übrigen ganz einig mit Ernst

Troeltsch, der gleichfalls die Wendung vom Verteidiger des deutschen romantisch-historischen Denkens im Weltkriege zum Befürworter einer völkerverbindenden Synthese zwischen westlichem und deutschem Denken durchgemacht hatte. Thomas Manns Hinweis auf die seltsame Verbindung, welche die deutsche Romantik mit derbster Imperialwirtschaftlichkeit eingegangen sei, ist vermutlich ziemlich direkt von Troeltsch übernommen, der das in seinem Vortrag über »Naturrecht und Humanität in der Weltpolitik«[76] angemerkt hatte.

In dieser Hinsicht war auch bei Thomas Mann in der Weimarer Zeit selbst eine Fortentwicklung erfolgt. Zur Zeit des Ruhreinfalls hatte er für die Franzosen nur schimpfliche Worte übrig. *Ein gräßliches Volk, gräßlich, gräßlich*, schrieb er Mitte 1923 an seinen Freund Ernst Bertram. *Ich sage nichts weiter. Aber alle überpersönliche, mythische Antipathie, deren ich fähig bin, ein wirklich schüttelnder Abscheu gilt der Mischung infamer, ohne Zweifel sexuell betonter Grausamkeit und humanitär sentimentalen Phrasenschmisses, den sie Europa vor Augen führen.*[77]

Er mußte sich schon deshalb über die französischen Ruhrmaßnahmen empören, weil sie, wie er gleichfalls an Bertram schrieb, jedem das Konzept verdürben, der versuche, in Deutschland zum Guten zu reden. Es schien ihm, als ob man Deutschland jenseits des Rheins nicht als eine Republik wie eine andere, sondern als ein herrenloses Land betrachte, mit dem man machen könne, was man wolle.[78]

Über den Versailler Vertrag, dessen Bekämpfung einer der Hauptagitationspunkte der nationalen Opposition gegen die Republik war, hat Thomas Mann niemals freundlich geurteilt, auch dann nicht, als er bereits für die Sozialdemokratie sein Wort einlegte; denn er empfand es selbst deutlich genug, wie wenig das Verhalten der Sieger dazu angetan war, das deutsche Volk an den moralischen und historischen Sinn seines Unterliegens glauben zu machen. Es sei ein dem Leben und der Natur zuwiderlaufender Gedanke gewesen, den Vertrag als eine Magna Charta Europas zu betrachten, denn Europa könne nicht existieren, wenn die

Absicht bestehe, eines seiner Hauptvölker auf die Dauer der Geschichte niederzuhalten, wie jener Vertrag dies zu bezwecken schien.[79]

In den Jahren jedoch, als Thomas Mann sich für die Sympathie zwischen den beiden Völkern und ihren Geistesvertretern einsetzte und darob von seinen Gegnern als Paneuropäer gescholten wurde, war die Haltung Frankreichs nicht zuletzt aufgrund der englischen Politik etwas einsichtsvoller geworden. Briand und Stresemann mühten sich um eine Verständigung zwischen den beiden Nationen, und Thomas Mann begrüßte diese Entwicklung. Er hoffte, daß das neue Europa sich zuerst unter den geistigen Menschen würde herstellen lassen und sprach über und für diese Solidarität der Geistigen in Paris, London, Amsterdam, Warschau, Budapest und schließlich in Oslo, wo man ihm den Nobelpreis für Literatur überreichte.

In einem Interview mit den »Danziger Neuesten Nachrichten« vom 14. März 1927 äußerte er sich hierzu:

Der Intelligenz in allen Ländern messe ich die Aufgabe zu, hier Schranken niederzulegen, die meist nur künstlich aufgerichtet sind. Im Dienste dieser Aufgabe ging ich nach Warschau, wie vordem nach Paris, Madrid, Kopenhagen ... Ich halte schon heute einen europäischen Krieg gegen den geschlossenen und einigen Willen der Intelligenz, der geistigen Welt, für unmöglich.

Die nationale Presse des Reiches indes begleitete seine Reisen mit Schlagzeilen wie: »Kotau vor Paris«, »Commis voyageur der deutschen Demokratie« und schrieb: »Die nationale Jugend hat kein Verständnis für Literaten, die zur Erhöhung ihrer Auflage Kotau vor den Fronvögten des Rheinlandes machen ... Auch heute noch sind wir der Meinung, daß Herr Thomas Mann weder Beruf noch Befähigung besitzt, über deutsches Nationalempfinden zu urteilen.«[80]

Friedrich Georg Jünger schrieb in einem Blatt derselben politischen Observanz, dem Berliner »Tag«:

»Munter kopiert und kolportiert man den französischen Demokratismus, auf dessen poliertem Stuck die Moosblumen der

Verwesung erblühen – und was für eine Verwesung! Die Sozietät dieser Bourgeoisie ist es, die Thomas Mann empfiehlt. Wir kennen sie! ... Keine Arbeiter- und Soldatensphäre, eine sehr gepolsterte Sphäre, ein kosmetischer Salon, eine feminine Sesselloge mit kulturellem und zivilisatorischem Weihrauch – je nach Bedarf! Möge sich die Schicht, die ihm am Herzen liegt, so rasch wie möglich zersetzen – wir bieten Hilfeleistung an. Möge faulen, wer da will und muß, es soll uns lieb und wert sein, wir helfen morbiden Gemütern gern mit einer Injektion nach. Aber wir verbitten uns, daß Herr Mann, mit der Miene des papa ex cathedra, sich erhebt, um an Angelegenheiten zu rühren, die mit dem Zauberberg nichts zu tun haben, daß er als papa infallibilis in deutschen Angelegenheiten der europäischen Finanzbourgeoisie und ihren literarischen Hühneraugen Vortrag erstatten will. Hier endet Amt, Befähigung, Aufgabe.«[81]

Das »Gewissen« des Berliner Herrenklubs meinte kurzerhand, Thomas Mann sei kein Problem. »Der Typus deutscher Geistigkeit, den er verkörpert, ist durch ihn selbst in seinen ›Betrachtungen eines Unpolitischen‹ erschöpfend beschrieben worden. ›Zivilisationsliterat‹ nennt ihn Thomas Mann dort ganz richtig und weist ihm Frankreich als seine natürliche Heimat zu ...

Inzwischen ist das deutsche Volk darauf angewiesen, ohne die Erlaubnis der Herren und Damen der legalen europäischen Literatur und gegen sie mit der Erkenntnis seines Schicksals fertig zu werden ... Die Notfragen der Völker sind zu primitiv, um auf verbindliche Weise in Kultursalons gelöst zu werden.«[82]

Der streitbare Publizist und Herausgeber des jungkonservativen »Deutschen Volkstums«, Wilhelm Stapel, schrieb in einer Glosse gegen Thomas Mann: »Wir können nichts dafür, daß wir Thomas Mann schon wieder vor uns haben. So sehr wir, seiner müde, uns abwenden, er läuft uns auf die raffinierteste Weise immer wieder in die Finger ...«

Stapel zitiert dann einen kritischen Satz Manns zur geistigen Restauration und schreibt:

»Wer hat den Geist diskreditiert? Wer fördert einen ehrlosen Lebensbegriff? Wir denken an einen politisch gewordenen Unpolitischen. Willst du ein smartes Geschäft und Humanismus vereinen, korrumpiere die Zeit, dann aber klage sie an!«[83] War es frei erfunden, wenn Thomas Mann angesichts solcher geistigen Verlautbarungen sagte:

Eine neue Vertrotztheit, eine neue Eigenbrödelei sind dabei, Deutschland wieder in einen Gegensatz zu der gesamten Umwelt hineinzutreiben. Das deutsche Gemüt empört sich gegen die vernünftigen Tendenzen der Welt.[84]

Und an einer anderen Stelle:

Der Nationalismus ist bei uns gesetz- und verhängnismäßig mit Talentlosigkeit geschlagen, er ist nicht geistfähig, er kann nicht schreiben, in irgendeinem höheren Sinne faszinieren, er ist schlichter Barbarismus ... Er ist Sünde wider den deutschen Geist, die nicht verziehen wird, der Schriftsteller, der ihm anheimfällt, kommt unaufhaltsam herunter.[85]

Für die Nationalsozialisten war schon damals klar, was mit einem Schriftsteller zu geschehen habe, der solche Äußerungen von sich gibt. So schrieb die Zeitung »Der Nationalsozialist« am 8. Juni 1928:

»Es bleibt für einen völkischen Zukunftsstaat nur noch ein Säuberungsmittel übrig: Deportation aller Nestbeschmutzer ins Ausland!« Die bürgerlich-jugendbewegte Monatsschrift »Die Tat« kommentierte die Bemerkung zustimmend: »Man sieht, daß es dem ›Nationalsozialisten‹ nicht schwer gefallen ist, diese empörende Beschimpfung des deutschen Geistes knapp und schlicht zu widerlegen.«[86]

Wer sich in den Augen der nationalen Sachwalter des deutschen Geistes so schmählich an Deutschland verging wie Thomas Mann, dem mußten sie freilich auch das Künstlertum absprechen, konnte doch die Sprache eines Schriftstellers, der sich für Paneuropa einsetzte, unmöglich ein volles, kräftiges Deutsch sein. Der Erlanger Professor Geißler bereicherte die Diskussion

durch einen in der alldeutschen »Deutschen Zeitung« veröffentlichten Aufsatz über »Paneuropa und Thomas Mann«. Darin
schrieb er: Thomas Mann sei der »bedeutsamste Paneuropa-
dichter unseres Heute«, und wußte dann in gut deutschtümeln-
der Manier mitzuteilen:
»Dieser Schreibende sitzt nicht am Quell der Sprache ... Er
teilt das neueuropäische Schicksal des entwerteten Wortes. Ein
weitestes Abstehen von volkhafter Urkraft der Sprache also, eine
wägende Schriftstellerart mehr als sprudelndes Dichtertum.«
Sein Stil sei zivilisatorisch, papierhaft, doch schwinge darin trotz
allem etwas deutsch Seelenhaftes, und zwar Musik mit. Was in
Deutschland die Menschen locke und betöre, sei diese Mannsche
Rattenfängermelodie.[87]
Aber auch ernster zu nehmende Literarhistoriker, wie z. B. der
von der Bindung der Dichtung an die »kosmischen Gesetz-
mäßigkeiten« schwärmende Schweizer Emil Ermatinger, empfanden Thomas Manns Werke, insonderheit den »Zauberberg«,
als bloße Literatur und nicht als Dichtung, die Ermatingers Forderung zufolge »im dunklen Gemütsgrunde des Volkes« wachsen müsse. Solche Literatur wie die Thomas Manns werde mit
ihrer Zeit dahingehen, da sie nur auf der intellektuell geklärten
Oberfläche der Zivilisation schwimme.[88]
Bedachte man Thomas Mann nicht mit dem von ihm selbst
erfundenen Etikett des Zivilisationsliteraten, was häufig genug
geschah, so suchte man seine Kunst zumindest durch die Einführung des Unterschiedes zwischen einem Schriftsteller und
einem Dichter herabzusetzen. Thomas Mann war nur ein
Schriftsteller. Als der schon früher zitierte jungkonservative Publizist Wilhelm Stapel sich im Jahre 1933 die Frage stellte, ob der
(inzwischen bereits emigrierte) Thomas Mann eigentlich in die
deutsche Dichterakademie gehöre, schrieb er als Antwort: »Wir
erkennen die *literarische* Kunst Thomas Manns an. Ein großer Literat, aber ein Dichter? Ein großer Scriptor, aber ein Vates? Del-
phischer Lorbeer bleibt ihm fern. Dem allzu Klugen neigt sich
nicht der Gott ...

Thomas Mann, wie vermöchte er in unserer Welt zu wirken? Nur so, daß er seine Stellung zur offenen oder heimlichen Opposition gegen das Wesen des neuen Staates mißbrauchte ... Er ist in einen tiefen Gegensatz zum Fortschritt geraten. Er bedeutete einer vergangenen Zeit etwas, aber was bedeutet er der neuen Zeit? Er ist heute nichts als ein Gegenbeispiel.«[89]

Thomas Mann hat in seiner Rede über Lessing aus dem Jahre 1929 von jener deutschen Neigung gesprochen, zu statuieren, der Dichter dürfe kein Polemiker sein, er dürfe die Erscheinungen nur in stiller und edler Einfalt hinnehmen und verklären. *Ein Dichter wie er sein soll, das ist nach ihrer Meinung ein Wesen, das nichts sieht, nichts merkt, von nichts etwas ahnt und dessen reine Torheit sich bequem als Vorspann der Schlechtigkeit und des Interesses mißbrauchen läßt. Sieht und merkt er etwas, läßt er sich in Harnisch jagen durch Heuchelei, Rechtsbruch und Volksverdummung, durch die betrügerische Vermengung etwa von Industrie und Heldenlied, so ist er kein Dichter, sondern bloß ein Schriftsteller, und zwar ein unvaterländischer.*[90]

Es stand also einem deutschen »Dichter« nicht an, sein Wort zu den drängenden Problemen der Zeit zu sagen; das war ein Heruntersteigen in die gemeine Arena, ein Verlassen des dichterischen Throns. Allenfalls dann hätte man sein Heruntersteigen begrüßt, wenn seine Worte freundlicher und zustimmender gewesen wären für diejenigen, die sich als die Hüter und Wiedererwecker wahren Deutschtums vorkamen. Ein Rudolf Borchardt z. B. war den nationalistischen Kulturträgern weit genehmer, da er sein dichterisches Wort ihrem ungestümen politischen Drängen zu leihen schien, auch wenn dabei die Verwechslung mit im Spiele sein mochte. Selbst Hofmannsthal war wohlgelitten, denn seine berühmte Münchner Rede aus dem Jahre 1927 vom »Schrifttum als geistigem Raum der Nation« war so feinsinnig ästhetisch und politisch unartikuliert, daß jeder intellektuelle Landsknecht Hofmannsthals Hoffnungen auf die konservative Revolution auch auf sich beziehen mochte.

Solcher Art freilich war Thomas Manns geistig-politisches Wirken nicht. Die Obskuranten wußten sehr wohl, wogegen er Partei nahm; folglich erklärten sie ihn für blind und *out of date.* Kein Wunder, daß er ihnen lästig fiel, und daß sie sich in der aggressivsten, aber oft auch primitivsten und geradezu lächerlichen Weise gegen ihn zur Wehr setzten. Kein Wunder auch, daß sie bestrebt waren, ihn zum bloßen Schriftsteller zu degradieren, doch weniger, weil er keine lyrische Produktion vorzuweisen hatte, als vielmehr, weil sie es unschicklich fanden, daß ein Dichter sich so entschieden in die geistigen und politischen Händel der Zeit mischte. Das schien einfach nicht statthaft. Was ärgerte, war freilich auch das schriftstellerische Niveau, das ihm kaum jemand abzustreiten wagte. Denn seine Angriffe gegen die politische Verdunkelung durch den Geist der Tiefe waren bestechend geführt; sie beeindruckten, auch wo sie nicht allgemeine Zustimmung fanden. Wie kläglich waren dagegen doch oft die Polemiken seiner nationalistischen Kritiker, verglichen mit der gedanklichen und sprachlichen Geschliffenheit der Thomas Mannschen Essays! Und dennoch fühlte sich so mancher, dem die Thomas Mannsche Sprache zu wenig deutsch, zu urban-zivilisatorisch, zu glatt und gekonnt erschien, bemüßigt, ihn zum Schriftsteller zu degradieren und vorwurfsvoll von der Tiefe wahren Dichtertums zu raunen.

Was aber das Politische selbst anging, so ließ es Thomas Mann nicht bei seinen wiederholten Angriffen gegen die vulgäre Lebensphilosophie der Zeit bewenden, auch nicht bei seinem Eintreten für die Weimarer Republik. Er ging weiter noch und hat damit zweifellos manchen deutschen Bürger, der den unpolitischen Thomas Mann verehren mochte, schockiert. Er entschied sich für den Sozialismus.

───── 8 ─────

Der Konservative als Sozialist

Oberflächlich gesehen mochte ein Bekenntnis zum Sozialismus in den zwanziger Jahren nicht viel bedeuten, denn das Wort Sozialismus war in vieler Munde. Gerade die Jungkonservativen, die ihre von Thomas Mann als rückschlägig bezeichnete konservative Revolutionsidee propagierten, hielten sich für deutsche Sozialisten, für Anhänger des Gemeinschaftsgedankens, für die Führer zum wahren Sozialismus des Dienstes an der gemeinsamen Sache, dem Staat; und sie glaubten mit ihrer germanisch-deutschen-sozialistischen Idee den linken Sozialisten marxistischer Herkunft den Wind aus den Segeln nehmen zu können. Deren Sozialismus nämlich galt als international, und international war in jenen Tagen als Schimpfwort ebenso gebräuchlich wie die Vokabel liberal. Jener internationale Sozialismus, so hieß es, sei mit dem reaktionären Weltliberalismus im Bunde, und keinen schlimmeren Gegner gebe es für Deutschland als jene liberal-demokratisch-sozialistische Kombination, wie sie sich im Anfang der Weimarer Republik hergestellt hatte, in der sogenannten Weimarer Koalition.

So propagierte man einen nationalen Sozialismus, der freilich nicht mit dem Nationalsozialismus Hitlers identisch sein mußte. Thomas Mann jedoch hielt jene modische Wortverbindung für einen schlichten Betrug und für Bauernfängerei, und er tat das, was in den Augen eines gut nationalen deutschen Bürgers als irreparabler politischer Fehltritt angesehen werden mußte: Er trat ein für die Sozialdemokratie. Und zwar ideell wie konkret. Ideell insofern, als er in der Verbindung von Demokratie und Sozialismus eine Notwendigkeit seiner Epoche sah und bis an sein Le-

bensende gesehen hat, konkret, indem er für die deutsche Sozialdemokratie der Weimarer Republik optierte und sie in seiner
Aufsehen erregenden Rede vom Oktober 1930 dem deutschen
Bürger als seine politische Partei empfahl.

Wie kam es zu dieser erstaunlichen Wahl?

An keiner anderen Stelle hat Thomas Mann seinen geistigen
Entwicklungsprozeß zwischen 1914 und 1928 so überzeugend
und verständlich geschildert wie in dem kleinen, 1929 abgefaßten Beitrag »Kultur und Sozialismus«.[91] Er geht darin aus von
seinen »Betrachtungen«, von der Wirkung Deutschlands auf die
Welt zur Zeit des Krieges, von der Verbissenheit, mit der
Deutschland diesen Krieg auch als einen geistigen Krieg, als den
der Kultur gegen die Zivilisation, geführt hatte, um schließlich
doch zu unterliegen. Die Dolchstoßlegende, so meint Thomas
Mann nicht ohne tiefe Einsicht, habe vorwiegend ideologische
Motive, weil man bestrebt sei, durch sie die philosophische Niederlage zu leugnen. Der innerdeutsche Streit gehe letztlich nur
darum, ob Deutschland auf seinem überlieferten, unpolitischen
Kulturbegriff beharren oder ob es ihn korrigieren, ins Neue
hinüberführen solle. Der Kultur, so führt er weiter aus, entspreche im Sozialen die Idee der Gemeinschaft, der Zivilisation oder
Demokratie die Idee der Gesellschaft. Jener wiederum gehöre die
Idee des Volkes, dieser der Begriff der Nation zu.

Das Wort Volk sei dem deutschen, d. h. dem kultur-konservativen, unpolitisch-antigesellschaftlichen Gedanken zugeordnet,
während der Begriff der Nation historisch mit der Demokratie
verwachsen sei, woran Thomas Mann die hübsche Bemerkung
anschließt, es sei eigentlich falsch und halbwegs lächerlich, wenn
eine Partei, die die Demokratie bekämpfe, sich deutschnational
nenne.

Nun sei jedoch durch die Ausbreitung des Sozialismus, welcher von der deutschen Kulturfrömmigkeit immer als volks-
und landfremd empfunden worden wäre, ein Zersetzungsprozeß
der Volks- und Gemeinschaftsidee durch die Idee der sozialen
Klasse in Gang gekommen, der bereits so weit fortgeschritten sei,

daß der kulturelle Ideenkomplex von Volk und Gemeinschaft heute als bloße Romantik anzusprechen und das Leben, d. h. die Zukunft, ohne Zweifel auf seiten der Gesellschaft, d. i. des Sozialismus, sei. Kein dem Leben zugewandter Sinn könne es darum mit der bürgerlich-völkischen Kulturpartei halten, zumal sich gezeigt habe, daß der Sozialismus von heute weit freundlichere Beziehungen zum Geist unterhalte als seine volksromantische Gegenseite. Die überlieferungsgemäße deutsche Geistigkeit sei offenbar nicht mehr fähig, dem suchend-zukunftswilligen Sinn ins Rechte zu verhelfen. Der Grund dafür sei, daß die sozialistische Idee in ihr nicht vorkomme. *Wer also in Deutschland der Demokratie das Wort redet, meint nicht eigentlich Pöbelei, Korruption und Parteienwirtschaft, wie es populärerweise verstanden wird, sondern er empfiehlt damit der Kulturidee weitgehende zeitgemäße Zugeständnisse an die sozialistische Gesellschaftsidee, welche nämlich längst viel zu siegreich ist, als daß es nicht um den deutschen Kulturgedanken überhaupt geschehen sein müßte, falls er sich konservativ gegen sie verstockte. Wer ihn um seiner großen Vergangenheit willen liebt, sagt ihm, was wahr und notwendig ist, indem er ihm den sicheren und schon vollendeten Sieg des sozialistischen Gegengedankens vor Augen rückt und Beweglichkeit, Anpassungswilligkeit, Aufnahmefähigkeit von ihm fordert –, ohne sich damit eben als politischer Radikalist zu erweisen.*[92]

Als solchen versteht Thomas Mann den Anhänger der kommunistischen Heilslehre. *Was not täte, so schließt er, was endgültig deutsch sein könnte, wäre ein Bund und Pakt der konservativen Kulturidee mit dem revolutionären Gesellschaftsgedanken, zwischen Griechenland und Moskau, um es pointiert zu sagen – schon einmal habe ich dies auf die Spitze zu stellen gesucht. Ich sagte, gut werde es erst stehen um Deutschland, und dieses werde sich selbst gefunden haben, wenn Karl Marx den Friedrich Hölderlin gelesen haben werde –, eine Begegnung, die übrigens im Begriffe sei, sich zu vollziehen. Ich vergaß hinzuzufügen, daß eine einseitige Kenntnisnahme unfruchtbar bleiben müßte.*[93]

In der großen Rede, der »Deutschen Ansprache«, die Thomas
Mann im Oktober des Jahres 1930, bald nach den alarmierenden
Ergebnissen der Reichstagswahlen vom September (sie erhöhte
die Zahl der nationalsozialistischen Abgeordneten von 12 auf
107), im Berliner Beethovensaal hielt, wurde dieses Bekenntnis
zum sozialistischen Gedanken als der notwendigen Ergänzung
zur deutschen Kulturidee ins Konkret-Politische übertragen.
Nachdem Thomas Mann zuerst dargetan hatte, daß die nationalsozialistischen Erfolge ohne Zweifel auch vom Geistigen her
gefördert würden, und zwar durch *eine gewisse Philologen-Ideo-
logie, Germanisten-Romantik und Nordgläubigkeit aus akade-
misch-professoraler Sphäre, die in einem Idiom von mystischem
Biedersinn und verstiegener Abgeschmacktheit mit Vokabeln wie
rassisch, völkisch, bündisch, heldisch auf die Deutschen von 1930
einredet und der Bewegung ein Ingrediens von verschwärmter Bil-
dungsbarbarei hinzufügt*[94], schildert er Geist und Politik der
deutschen Sozialdemokratie der Weimarer Republik. Er sieht
Licht und Schatten, doch mehr Licht, endet doch der an das deutsche Bürgertum gerichtete »Appell an die Vernunft« mit der Auf-
forderung, sich an die Seite der Sozialdemokratie zu stellen. Es
gebe keinen schärferen Gegensatz als den zwischen der deutschen Sozialdemokratie und dem orthodoxen Marxismus mos-
kowitisch-kommunistischer Prägung. Der sogenannte Marxismus der deutschen Sozialdemokratie bestehe in dem Bemühen
um soziale und wirtschaftliche Besserstellung der arbeitenden
Schichten, in der Sicherung und Erhaltung der demokratischen
Staatsform und in der Verfolgung einer Außenpolitik der Verständigung und des Friedens. Nur eine Außenpolitik, die der
deutsch-französischen Verständigung gelte und im Sinne Stresemanns geführt werde, entspreche einer Atmosphäre im Inneren,
in der »bürgerliche Glücksansprüche wie Freiheit, Geistigkeit,
Kultur, überhaupt noch Lebensmöglichkeiten besitzen.«
   Dieses Bekenntnis Thomas Manns zu einem demokratischen
Sozialismus, und darüber hinaus zur SPD als Trägerin dieses Ge-
dankenguts, wird voll verständlich erst vor dem Hintergrund der

geistig-politischen Situation der Weimarer Republik. Thomas
Mann glaubte – und das war kein Hirngespinst –, daß die bürgerlichen Kräfte in Deutschland aufgrund ihres anachronisti-
schen Pochens auf der Kultur- und Gemeinschaftsidee deutschen Gepräges (das nämlich, was sich weithin als »deutscher
Sozialismus« ausgab) eine Politik treiben würden, die einer vernünftigen Entwicklung der Welt und vor allem Europas entge-
genstehen müßte. Die richtige Politik, und dabei war auch an die
Beibehaltung liberaler Zustände im Innern Deutschlands gedacht, schien ihm die Kräftigung und Festigung der demokratischen Republik zu sein, nicht aber ihre Zerstörung um nationa-
listischer Großmachtträume und antiquierter ständischer Ideen
willen. Mit Abschaffung des Privateigentums, Nationalisierung
der großen Industrien hatte dieses sozialistische Bekenntnis freilich wenig zu tun, wenngleich Thomas Mann später auch einem
weniger krassen Mißverhältnis zwischen Reichtum und Armut
das Wort redete, als es in manchen kapitalistischen Ländern an-
zutreffen ist. Damals ging es ihm um das, was er verschiedentlich
als »Dienst am Leben« bezeichnet hatte. *Sozialismus ist nichts an-*
deres als der pflichtmäßige Entschluß, den Kopf nicht mehr vor den
dringendsten Anforderungen der Materie in den Sand der himmli-
schen Dinge zu stecken, sondern sich auf die Seite derer zu schlagen,
die der Erde einen Sinn geben wollen, einen Menschensinn.[95]

Es ist heute nicht erlaubt, sagte er in einer Ansprache vor Wiener Arbeitern, *in einer Welt, so widergöttlich und vernunftverlas-*
sen, wie die unsere es ist, dem Willen zum Besseren das Metaphysi-
sche, Innere, Religiöse als das Überlegene entgegenzustellen. Das
Politische und Soziale ist ein Bereich des Humanen. Das humane
Interesse umfaßt beide Bereiche, das des persönlich-innerlichen so-
wohl wie die äußerliche Ordnung menschlichen Zusammenle-
bens.[96]

Eine antisozialistische Haltung erschien ihm, dem einstigen
Verteidiger des bürgerlichen National-Konservatismus, einfach
atavistisch, ebenso wie eine nationalistische Haltung heute Ata-
vismus sei. Überall, so meinte er, vertrete die Arbeiterbewegung

das Notwendige, und notwendig erschien ihm die Schaffung und Sicherung der sozialen Demokratie, die Verwirklichung der Freiheit im Inneren wie nach außen durch eine Zusammenarbeit, ja möglichst einen Zusammenschluß aller europäischen Völker im Dienste des Friedens und der Verständigung. Und wenn er sich auch als Verteidiger eines geistigen Sozialismus noch immer zu seiner bürgerlichen Herkunft bekennt und sie unterstreicht, so weist er doch entschieden jeden Zusammenhang mit der *klassenmäßig gebundenen, der Arbeiterschaft als Gegner gesinnten Bourgeoisie* von sich. Und auf der anderen Seite betont er: *Soweit ich Sozialist bin, Marxist bin ich nicht.*[97]

Thomas Manns Bekenntnis zur Demokratie und zum Sozialismus waren nur zwei komplementäre Aspekte seines Interessenehmens für die Humanität. Im Kriegsbuche des Ersten Weltkrieges hatte er die deutsche Vokabel Menschlichkeit dafür vorgezogen, nicht zuletzt, weil der Begriff der Humanität bereits vom ideologischen Widersacher doktrinär okkupiert worden war und auch sehr viel radikalere Tendenzen aufwies, als sie dem konservativem Naturell Thomas Manns entsprachen. In den ersten Jahren der unseligen Weimarer Republik hatte er, beeinflußt durch die Dichtungen Walt Whitmans, die *Einerleiheit von Demokratie und Humanität* entdeckt. Wenige Jahre später kommt die Identität von Sozialismus und Humanität hinzu. Maßgeblich für diese Folge von Identifizierungen ist für Thomas Mann offenbar eine bestimmte anthropologische Grundeinstellung geworden, über die er in seinen Essays in verschiedenen Versionen sich Rechenschaft gegeben hat:

Der Mensch ist ein Geheimnis. In ihm transzendiert die Natur und mündet ins Geistige. Die, sei es höhnische oder heroische, Neigung, ihn als bloße Natur zu betrachten, ist heute stark, und doch ist sie falsch. Seitdem der Mensch – Mensch ist, ist er mehr als Natur; dieses Mehr gehört zu seiner Definition. Er ist Tier mit einem Teil seines Wesens, ja; aber mit einem anderen gehört er einer anderen Sphäre an, der geistigen.[98]

Dies ist die sehr einfache und überzeugende Darstellung eines philosophischen Sachverhalts. Die Folgerung, die Thomas Mann daran knüpfte, war nicht eine Verabsolutierung des Geistigen, sondern die Erkenntnis der »Totalität des humanen Problems«. Wo diese Totalität nämlich nicht gesehen wird, wo man die Welt der Innerlichkeit, der Metaphysik und Religion für die allein maßgebliche und wesentliche hält, da gerät man in einen unverantwortlichen Gegensatz zur Materie, wird ihren Anforderungen gegenüber blind.

Darum sagte Thomas Mann immer von neuem:

Das Politische und Soziale ist ein Teil des Humanen. Dieses umfaßt beide Welten, die innere und die äußere, und es hat seinen guten Sinn, wenn gerade der Künstler sich den Willen zur Vermenschlichung und Vergeistigung der politischen und sozialen Welt nicht verleiden lassen mag durch den Vorwurf, ein solches Interesse sei seiner unwert und bloßer Materialismus.[99]

Diese anthropologische Ausgangsposition hat Thomas Mann zur Kritik an zwei Erscheinungen im deutschen Bürgertum seiner Zeit geführt, die einander zu widersprechen scheinen:

Auf der einen Seite hat Thomas Mann immer wieder die Politikfremdheit dieses Bürgertums gegeißelt, seine Verachtung alles Politischen, sein wohlgefälliges Beharren in seiner unpolitischen, z. T. antipolitischen Haltung.

Zum anderen hat er sich in der Weimarer Zeit vorwiegend gegen die Bemühungen der Vertreter des bürgerlichen Geistes in Deutschland gewandt, der Politikfremdheit durch Theorien eines vitalen Aktivismus zu entrinnen.

Beide Erscheinungen hängen indes eng miteinander zusammen. Schon im Höhepunkt der unpolitischen Tradition des deutschen Bürgertums, in den Zeiten des kaiserlichen Regimes vorwiegend nach Bismarcks Entlassung, hatte sich in Deutschland die Anschauung Einfluß verschafft, die Machtpolitik, welche das Reich nun zu betreiben habe, verlange die Trennung von Politik und Moral. Es gebe zwischen diesen beiden Bereichen gar keine Brücke. Während also das Träumen von Weltmacht und das Verächtlichmachen der humanitären Demokratie in den gebildeten Schichten unseres Landes in Mode kam, wurde man des Widerspruchs nicht gewahr, der zwischen einer solchen Haltung und der von der deutschen Klassik überkommenen Tradition des Weltbürgertums bestand. Man fand auch keinen Widerspruch zwischen einer forschen Weltpolitik des Reiches, die sich über die gängige liberale Terminologie Europas erhaben dünkte, und dem deutschen Rückzug in die »machtgeschützte Innerlichkeit«. Beide Tendenzen – die der romantisch-seelenvollen Innerlichkeit und die ihr nur scheinbar widersprechende einer harten »Realpolitik« – wirkten auch nach dem Untergang der Monarchie fort, diesmal in einer ungleich dynamischeren Mischung. Die Entstehung der Weimarer Republik hatte nämlich das Bürgertum, das unter dem Regime Kaiser Wilhelms II. im großen und ganzen zufrieden gewesen war, zum großen Teil in die innerpolitische Opposition getrieben. Viele empfanden diesen Staat nicht als den ihren und drängten darum ganz anders als früher in den politischen Machtkampf. Eine außerordentlich starke Politisierung der gesamten Nation unter verschiedenen Interessengesichtspunkten vollzog sich, die die Weimarer Zeit – politisch-ideologisch gesehen – zu einer der fruchtbarsten und regsamsten Epochen politischer Bewußtseinsbildung in Deutschland werden ließ. Der bürgerliche Geist, der sich bisher mit einem unpolitischen Kulturdasein begnügt hatte, drängte mit aller Vehemenz ins Politische. Doch er tat es aufgrund von Prämissen, die mit der liberalen Epoche deutscher Bürgerlichkeit, der Periode der 48er Revolution, kaum mehr etwas gemein hatten, sondern weit eher einem heftigen Ausbruch neu-romantischen Lebensgefühls zu danken waren, nur daß nun die romantische, anti-aufklärerische Position sich stärker im gesellschaftlichen Bereich Geltung zu verschaffen suchte. Die Kontrastierung des Organischen mit dem Mechanischen, des Lebendigen mit dem Toten und Starren, der Seele mit dem Geist drang in die politische Verkehrssprache der nationalistischen Ideologen ein, die sie zu Schlagworten der nationalen Opposition schmiedeten.

Der bürgerliche Geist, bislang unpolitisch staatsbejahend und kulturfreudig, warf sich in der Erschütterung der Nachkriegsjahre auf die Politik, aber mit einer intellektuellen Position, die dem Geiste kein erhöhtes Daseinsrecht mehr zubilligte, ihn vielmehr den als bedeutsamer und wesentlicher empfundenen Kräften der »Seele«, der Erde und des Blutes überantwortete. Gegen diese weltanschauliche Position, ohne Zweifel ein wichtiger Grund für die Anfälligkeit eines Teiles der gebildeten Deutschen gegenüber den radikalen politischen Parolen der Rechten, hat Thomas Mann energisch und unzweideutig Einspruch erhoben. Er sah schon sehr früh, was politisch aus ihr hervorgehen könnte. Auf der anderen Seite erkannte er in dieser Politisierung des bisher Unpolitisch-Bürgerlichen eine Folge der unpolitischen Haltung. Beide Phänomene hingen also unmittelbar miteinander zusammen und wurden so auch von Thomas Mann wechselseitig kritisch beleuchtet.

Aus der unpolitischen, kulturbetonten Haltung des Bürgertums vor 1914 war schließlich nach 1933 das politisierte Bürgertum eines totalen Staates geworden, der alle Bereiche in seinen Bann und unter seine Kontrolle zog und von der dem staatlichen Leben abgewandten Sphäre deutscher Bürgerlichkeit nichts mehr übriglassen wollte. *Muß immer der Deutsche,* fragte sich Thomas Mann, *von einem Extrem ins andere fallen? Muß er, in grotesker Fehlkorrektur, zum Beweis einer ›Gründlichkeit‹, die schauerliche Übertreibung und Mangel an menschlichem Equilibrium bedeutet, nun darauf verfallen, die Politik, den Staat zu totalisieren, – was denn doch noch ärger ist als die frühere Versäumnis der Politik ...*[100] Thomas Manns »Fortschritt«, sein »Sozialismus« bestanden darin, diese extremen Alternativen zu vermeiden, immer von neuem, soweit überhaupt an ihm lag, Idee und Wirklichkeit zu versöhnen. Er litt es nicht, daß man unter Bezugnahme auf metaphysische Überlegungen die Politik schlechtmachte, die doch schließlich dazu da ist, das menschliche Miteinanderleben in eine vernünftige und humane Ordnung zu bringen. Er sah – und

wer will bestreiten, daß er recht hatte? – daß im Deutschland der
Weimarer Republik ein sozialer und politischer Ausgleich zwischen Arbeiterklasse und Bourgeoisie nötig war. Er sah, daß die
Republik nicht wirklich leben und gedeihen konnte (von den
äußeren Erschwernissen abgesehen, die er nicht bagatellisierte),
wenn ein großer Teil der gebildeten Schichten der Nation, und
zwar jener Schichten, die vor 1914 den Staat »getragen« hatten,
der demokratischen Republik feindselig gegenüberstand und
nur auf ihre Beseitigung sann. Er sah, daß die revolutionäre Um-
wälzung, die von den Nationalisten erstrebt und propagiert
wurde, wenig Gutes für das Land zeitigen konnte, wenig Gutes
auch für eine europäische Zusammenarbeit, die möglichst
schnell zu realisieren ihm damals schon unbedingt notwendig
erschien. Weil er die geistige Besonderheit des deutschen Nationalismus in seiner bürgerlichen Abart besser kannte und zu
analysieren verstand als jene, die sich dieser Anschauung verschrieben hatten, und weil er ein Gespür für die sozialen Notwendigkeiten der Zeit besaß, mithin den Sozialismus als Macht
des zwanzigsten Jahrhunderts richtig einzuschätzen wußte,
darum war ihm allein schon die Wortverbindung Nationalsozialismus tief suspekt, von der sich so nennenden Bewegung ganz
zu schweigen. *Es gibt den Sozialismus, und es gibt den Nationalismus. Diesen Gegensatz ... zum Nationalsozialismus vermanschen,
heißt gröbste politische Bauernfängerei betreiben oder ihr selbst unterliegen.*[101]

Was hatte es also zu bedeuten, wenn Thomas Mann schrieb:
Sozialisten? Wir sind es. Es bedeutete zunächst einmal negativ,
und zwar in kritischer Abgrenzung gegen den historischen Materialismus, daß die Werke der Kultur und des Geistes keiner bestimmten Klasse angehören, sondern *freie Taten der Menschheit*
sind. Es bedeutete aber vor allem, daß es auch für den Künstler
nicht angängig ist, die gesellschaftliche Welt um der metaphysischen willen zu verachten. Die Kontrastierung von Metapyhysik
und Sozialismus (und darunter verstand er die Tatsachen des gesellschaftlichen Lebens) sei heute nicht erlaubt, auch nicht die

herablassende Abwertung dieser gesellschaftlichen Dinge zum bloßen Materialismus und Eudämonismus.

Thomas Mann hatte weit realistischere Ansichten von den Notwendigkeiten und Entwicklungstendenzen seiner Epoche als diejenigen, die ihm gerade in der Weimarer Republik mit Genugtuung das Etikett des Unpolitischen anhefteten, das er sich einst selbst verliehen hatte. Ich wüßte keinen der großen Vertreter des deutschen Geistes zu nennen, der mit solcher Eindringlichkeit, mit solcher Einsicht in die geistige und soziale Situation der Zeit damals eine Position vertreten hat, die geistespolitisch so richtig war wie die seine. Es ist (jedenfalls hinsichtlich der Weimarer Republik) barer Unsinn, wenn auch heute noch immer das Wort von der problematischen politischen Haltung Thomas Manns kolportiert wird. Es wäre auch vermessen zu unterstellen, seine Bemühungen hätten doch offensichtlich keinen Erfolg gehabt und sich damit selbst das Urteil gesprochen. Das Urteil über die Wahrheit oder Richtigkeit einer Haltung wird nicht durch die wechselvollen Abläufe der Geschichte gesprochen. Die Nationalsozialisten kamen an die Macht nicht wegen Thomas Mann, wie sich ganz Verstockte zu behaupten vermaßen[102], sondern trotz Thomas Mann. Doch was ist Thomas Mann, ein zwar bekannter und geachteter, auch viel gelesener Schriftsteller, gegen das »geistige Klima« einer Zeit, gegen die vorherrschende geistige Tendenz an unseren Hochschulen, gegen ein gebildetes Bürgertum, das sich gebildet genug dünkt, um über »Thomas Mann, den Politiker« die Nase zu rümpfen? Und wenn man schon Geschichte im Sinne der Hegelschen Vorstellung des Weltgeistes bemühen will, so hatte Thomas Mann mit seinen Anschauungen den längeren Atem. Er hat recht behalten, als er meinte, daß man es sich nicht erlauben könne, die Errungenschaften des 19. Jahrhunderts einfach zum Gerümpel zu werfen, nur weil einige dieser Ideen und Entwicklungen in ihrer Überspitzung eine berechtigte Reaktion herausgefordert hatten. Er hat recht behalten mit seiner Überzeugung, daß das Bürgertum sich einen schlechten Dienst erwies, als es sich in seiner geistigen Hinneigung zum Irrationalen und Chthonischen so ganz seiner liberalen Traditionen entledigte. Diese liberalen Traditionen, auf die eine freie Welt nicht verzichten kann, waren in der Tat bei der Sozialdemokratie der Weimarer Republik höher in Achtung als bei den Deutschnationalen oder gar den Nationalsozialisten. Bemerkenswerterweise sagte sich das politische Bürgertum von jenen Ideen los, als sie nicht mehr geeignet schienen, seine Vorherrschaft gegenüber dem vierten Stand zu verbürgen. Die liberale Demokratie sozialistischen Einschlags, für deren Erhaltung Thomas Mann seine ganze Kraft einsetzte, war denn auch das selbstverständliche Staatsbild, zu dem man in Deutschland nach dem zwölfjährigen Irrweg des Nationalsozialismus zurückkehren mußte. Die geistige Haltung Thomas Manns in der Weimarer Republik scheint mir in vorbildlicher Weise die Haltung zu sein, die dieser Republik angepaßt gewesen wäre und ihr zu einer größeren inneren Stabilität hätte verhelfen können. Thomas Mann empfand sehr stark die Not dieses Staates, ohne geistigen Zuspruch dahinleben zu müssen. Seine großen politischen Reden, angefangen von der Rede über die deutsche Republik bis zur Deutschen Ansprache von 1930, waren ein immer wieder erneuerter Versuch, seine Landsleute, und er wandte sich dabei vorwiegend an die Akademiker und die Studenten, zur geistigen Unterstützung dieser Staatsform zu bewegen, damit die Republik innerlich gesunden und zu einem, dem Neuen aufgeschlossenen, doch auch dem Alten verbundenen deutschen Staat werden könne. Zu wenige sind ihm gefolgt. Thomas Mann war durch sein Bekenntnis zur Republik nicht etwa zu einem Linksintellektuellen geworden; weit gemäßer ist es, ihn einen liberalen Konservativen oder konservativen Sozialisten zu nennen. Aber es war ein nach vorwärts gewandter Konservativismus, der nicht krampfhaft am Alten hing und so das neue Leben, das wachsen wollte, mit seinen Atavismen erstickte. Dieser Haltung entsprach in der Tat jener in den zwanziger Jahren so modisch werdende Begriff der Konservativen Revolution. Was verstand Thomas Mann darunter? Er gibt darüber Rechenschaft in der 1936 von ihm mitherausgege-

benen Zeitschrift »Maß und Wert«, dem Organ der deutschen
Emigration in der Schweiz.

Zunächst erwähnt er den üblen Mißbrauch, den man vor und
nach 1933 mit diesem Wort in Deutschland getrieben habe, und
meint damit die politische Haltung jener Vertreter der Konservativen Revolution, die wohl oder übel zu geistigen Wegbereitern
des Nationalsozialismus geworden sind (»Schrittmachern des
Elends«, Thomas Mann). Darum gelte es, den Begriff wiederher-
zustellen.

*Es (das Maß) wiederherstellen, heißt nicht, sich nach Vergange-
nem sehnen, sondern es neu herstellen, es aus den Bedingungen, die
wir heute vorfinden, frisch erarbeiten und einsetzen. Eine solche
Bemühung ist aber ebenso konservativ wie revolutionär. Sie ist konservativ, insofern sie etwas bewahren will, was bisher die Würde des
Menschen ausgemacht hat: die Idee eines überpersönlichen, überparteilichen, übervölkischen Maßes; insofern sie die Geister, die
Herzen, die Willen auf das Ziel eines solchen überparteilichen, humanen Maßes richten will. Sie ist aber revolutionär, da sie dieses
Maß selbst aus keinerlei Vergangenheit ungeprüft übernehmen
will, sondern es an den heutigen Bedingungen und Erfahrungen
mit größter Wahrhaftigkeit zu erproben, aus der gegenwärtigen Situation neu zu gewinnen unternimmt.*[103]

Thomas Mann mag zu weit gehen, wenn er die »konservativen
Revolutionäre« seiner Zeit verdächtigt, diesen Begriff als Vor-
wand zur Konservierung des Schlecht- und Falschgewordenen
mißbraucht zu haben, als Schreckensregiment zur Hintanhal-
tung des wirklich Gebotenen und Lebensnotwendigen. Wenn er
so spricht, hat er die »konservative Revolution« der Nationalsozialisten im Auge, während einige Männer der eigentlichen »konservativen Revolution« der Weimarer Zeit, wie z. B. Edgar Jung,
ihre Opposition gegen Hitler mit dem Leben bezahlen mußten.
Dennoch waren auch die Ideen der »echten« konservativen Revolutionäre politisch keine produktiven Ideen, nicht nur deshalb, weil sie das geistige Klima für den Nationalsozialismus bereiten halfen, sondern weil es, so sozial dieses Denken auch sein

mochte, bis zur Inhumanität antiliberal und ohne jedes Verständnis für den demokratischen Sozialismus war. Es fehlte diesem Denken das »humane Maß«.[104] Den konservativen Revolutionären dieser Prägung, den Stapel, Jünger, Jung, M. H. Boehm, Heinrich von Gleichen, Hans Zehrer und seinem Tatkreis mußte Thomas Manns positive Einstellung zur Weimarer Republik freilich sehr seltsam vorkommen. Ihnen mußte es scheinen, als sei er nicht auf der Höhe der Zeit, und oft genug hat er sich vorwerfen lassen müssen, er sei eben doch nur ein Vertreter des abgelaufenen 19. Jahrhunderts. Thomas Mann selbst hat sich zwar immer als ein Kind jenes Jahrhunderts gefühlt, aber er sah die Realitäten und Notwendigkeiten des 20. Jahrhunderts für Deutschland doch wohl klarer und tiefer als jene, die von ihren Ideen glaubten, sie würden die Revolution des 20. Jahrhunderts einleiten und das Gesicht der Zeit auf eine Epoche hinaus bestimmen.

Thomas Mann hat auf seinen Reisen ins Ausland die Geisteskultur der Weimarer Republik mit Würde repräsentiert. Er tat es gewiß sehr elegant und hat manches für eine Verständigung unter den europäischen Intellektuellen und Völkern erreicht, aber die wirkliche Republik, für die er sprach, das tatsächliche geistige Deutschland, als dessen Vertreter er in die Hauptstädte unseres Kontinents fuhr, waren in diesem Manne nicht wirklich repräsentiert, genauso wenig wie etwa Walther Rathenau in seiner Person Deutschland verkörpern mochte. Thomas Mann sprach stets nur für einen Teil des geistigen Deutschland. Seine kritischen Stellungnahmen zu Entwicklungen in seinem Vaterland waren immer von heftigen Angriffen in der nationalen Presse begleitet, die es sich stolz verbat, daß »Herr Mann« im Ausland als Vertreter deutscher Geisteskultur auftrete. Die Weimarer Republik kannte keinen Gemeingeist republikanischer Staatsbejahung, der ihr und ihm zugute gekommen wäre; der öffentliche Geist war zerspalten in eine republikanische Linke und eine nationale Rechte, die beide mit dem bestehenden Staat recht unzufrieden waren. Die linke Intelligenz machte die Republik kaum

weniger schlecht als die rechte, weil für beide der bestehende
Staat so weit von ihrem Ideal entfernt blieb, daß man sich darin
nicht heimisch fühlte. Man muß der linken Intelligenz (grup-
piert etwa um die »Weltbühne« und »Das Tagebuch«) allerdings
immer zugute halten, daß es ihr allen Ernstes um die demokra-
tisch-soziale Republik zu tun war, einem Ideal, dem die Weimarer Republik sehr ferne war. Für die Rechte war Weimar letztlich
nichts als »das System«, von dem man vor allem wußte, daß es
abzuschaffen war, auch wenn man über den »neuen Staat« weit
auseinandergehende und z. T. recht romantische Vorstellungen
hatte. Es fehlten im geistigen Konzert der Republik die kräftig in-
tonierten Zwischentöne, die Tradition wie Fortschritt in sich vereinigten. Thomas Mann war einer der wenigen, der sie ange-
schlagen hat, und in seiner Haltung gegenüber der Weimarer
Republik war exemplarisch vorgebildet, wie eine positive Einstellung gegenüber dem neuen Staat zu gewinnen gewesen wäre,
die Altes und Neues hätte versöhnen können. Er blieb damit
ziemlich allein. Golo Mann hat in einer feinsinnigen Betrachtung
über seinen Vater die Frage aufgeworfen, ob die Deutschen ihm
damals nicht hätten folgen sollen, und er kommt zu dem Schluß,
sie hätten wohl gut daran getan, ihm zu folgen. Aber sie taten es
nicht, aus vielerlei Gründen. Statt dessen kam das »Naziabenteu-
er« über Deutschland. »Sollte man nicht eher sagen, er war schon
damals im Recht, und nicht er irrte, sondern die wirkliche Geschichte?« ... [105]

Das, was die Geschichte heraufbringt, ist beileibe nicht immer
das Beste und Rechte. Auch die Tatsache, daß etwas Geschichte
wird, rechtfertigt ja nicht das Geschehene an sich. Denn ist die
Geschichte nicht der Menschen Werk, von Menschen freilich, die
in ihren Entschlüssen und Handlungen von vielen Bedingungen
abhängig sind? Weder der ominöse »Zeitgeist« noch die vielbe-
rufene »Macht der Geschichte« können die ideologischen Tor-
heiten und Verirrungen entschuldigen, die einen Teil der deutschen Intelligenz in den Nationalsozialismus hineingerissen
haben. Sie hatten, um einen drastischen Vergleich zu gebrau-

chen, ihren Thomas Mann, so wie die Verwandten des Reichen, bei dem der arme Lazarus sein karges Dasein fristete, Moses und die Propheten hatten. Thomas Mann hatte oft und deutlich vernehmbar ausgesprochen, was der leidenden Republik not tat und welche geistige Haltung der deutschen Kulturtradition in dieser Lage angemessen war. Es ist hier nicht der Ort, die Gründe zu untersuchen, warum ein Teil des geistigen Deutschland den »Politiker« Thomas Mann geringschätzte und alsbald so gut mit dem Nationalsozialismus und seinen geistigen Bekundungen auszukommen wußte. Es hat freilich große und politisch wache Vertreter des geistigen Lebens in Deutschland gegeben (und Thomas Mann ist wohl der größte unter ihnen), die das Menschenunwürdige und Verbrecherische am aufkommenden Nationalsozialismus frühzeitig genug durchschauten, vor allem zu einem Zeitpunkt schon durchschauten, als noch ein Geist der Freiheit in Deutschland vorherrschte und es noch Möglichkeiten gab, zum Guten zu reden.

Wie lächerlich ist es, Thomas Mann vorzuhalten (Manfred Hausmann hat es nach 1945 getan), es stehe ihm nicht zu, über Menschen zu urteilen, die nach 1933 Ideen und Anschauungen vertreten hätten, wie er selbst sie in seinen »Betrachtungen« vertreten habe! Wer zu Fragen des politischen Lebens in der Weimarer Zeit so gesprochen und geschrieben hat wie Thomas Mann, der sollte später nicht urteilen dürfen über jene Geister, die am Verhängnis mitwirkten?

Walter Muschg, der Basler Literarhistoriker, hat sich in seiner »Tragischen Literaturgeschichte«[106] zu dem Urteil verstiegen, an den Büchern Thomas Manns könne man verstehen lernen, warum das Deutschland, das er repräsentierte, vom Teufel geholt wurde. (Muschg war ein Todfeind der Mannschen »Ironie«.) Diejenigen, die tatsächlich mithalfen, Deutschland dem Teufel auszuliefern, waren im allgemeinen keine Liebhaber der Bücher Thomas Manns, und erst recht nicht seiner Reden. Nein, hätte Thomas Manns Appell an die Vernunft, sein Eintreten für die Republik, sein Wirken für die deutsch-französische Verständigung und europäische Einigung mehr Widerhall in der deutschen Intelligenz gefunden, hätte Hitler kaum je die Macht ergreifen können. Dem Dichter aber, der in den heftigen ideologischen Kämpfen der Weimarer Republik seine politische Gesinnung vielfach erprobt hatte, sollte es nicht schwerfallen, sie gegenüber einem Regime zu *bewähren*, das alles, was ihm teuer und wert war, mit Füßen trat.

Die Rolle geistiger Repräsentanz, die Thomas Mann in der Weimarer Republik gespielt hatte, bestimmte sein individuelles Schicksal in der Zeit, die darauf folgte. Thomas Mann mußte Deutschland fern bleiben. Die Nationalsozialisten schmähten ihn und entzogen ihm das Bürgerrecht, und so geschah es, daß er erst sechzehn Jahre später als amerikanischer Staatsbürger wieder nach Deutschland kam, und auch dann nur zu Besuch. Offiziell in Ehren aufgenommen, wiederholte sich dann vor einem anderen Hintergrund das tragikomische Schauspiel des nicht endenwollenden Streites um Thomas Mann, den Politiker. Der schimpflich des Landes Verwiesene, dessen Bücher man als undeutsch verbrannt hatte, sollte nun von neuem eine repräsentative Rolle übernehmen wie zu Zeiten der Weimarer Republik. Konnte er das noch, nach allem, was dazwischen geschehen war?

Teil III
Bewährung

(1933–1945)

THOMAS MANN

DEUTSCHE HÖRER

25 Radiosendungen nach Deutschland

1942

BERMANN-FISCHER VERLAG/STOCKHOLM

9

Leiden an Deutschland

Thomas Manns Emigration war keine vorbedachte Sache. Mit leichtem Gepäck verließ er am 11. Februar 1933 die ihm liebgewordene Stadt München, um in verschiedenen großen Städten des Auslandes aus Anlaß des fünfzigjährigen Todestages Richard Wagners über »Leiden und Größe Richard Wagners«[107] zu sprechen. Es war jener Vortrag, der noch in der »Neuen Rundschau« erschien, und dem fünfhundert Zuhörer in der Aula der Münchner Universität ihren Beifall gezollt hatten. Er verließ München und kehrte nicht mehr dahin zurück, bis der Nationalsozialismus aus der »Hauptstadt der Bewegung« verbannt war.

Viele Deutsche, und mit ihnen auch Thomas Mann, versprachen sich nichts Gutes davon, wenn es den Nationalsozialisten gelingen sollte, die Macht zu ergreifen. Doch der 30. Januar 1933 war für ihn nicht das Signal, sein Vaterland zu verlassen. Zu groß war die Hoffnung, daß sich die Nationalsozialisten kaum lange an der Macht würden halten können. Zu widersinnig mußte es ihm, der sich in ganz besonderer Weise als deutscher Schriftsteller, als Repräsentant des geistigen Deutschtums gefühlt hatte, vorkommen, daß er sein Deutschland künftig zu meiden hätte. Die Freunde, die ihm dann im Ausland rieten, er solle fürs erste nicht wieder nach Deutschland zurückkehren, sondern abwarten, wie sich die Dinge dort weiter entwickelten, haben gut daran getan. Thomas Mann hat verschiedentlich geäußert, so in Briefen an Ernst Bertram und in seinem berühmten Brief an die Universität Bonn, daß er, wäre er in Deutschland geblieben, vermutlich nicht mehr am Leben sei. Die Vermutung war nicht ganz unbegründet. Carl von Ossietzky wurde ins Konzentrationslager geschleppt, so daß er an den Folgen der Behandlung schließlich starb; der innere Machtkampf gegen Röhms SA am 30. Juni 1934 bot zugleich eine günstige Gelegenheit, auch andere mißliebige Personen des geistig-politischen Lebens auf die Seite zu schaffen, die mit Röhm nicht im Bunde waren, so etwa den Publizisten Edgar Jung; der Schriftsteller Ernst Mühsam wurde ermordet, Theodor Lessing wurde sogar außerhalb des Reiches, in Karlsbad, von den Kugeln der nationalsozialistischen Schergen ereilt, ganz zu schweigen von den zahlreichen Kommunisten und Andersgesinnten, die in den ersten Monaten der »nationalen Revolution« den bösartigen Racheinstinkten ihrer politischen Gegner zum Opfer fielen. Dennoch möchte man bezweifeln, daß die neuen Machthaber es gewagt hätten, Hand an Thomas Mann zu legen. Doch wer kann es wissen? Was war unter diesem Regime nicht alles möglich?

Paul Fechter machte 1933 sogar den einigermaßen kühnen Vorschlag, man solle Thomas Mann doch nicht aus der Dichterakademie ausschließen; er habe zwar in der letzten Zeit politisch viel Unsinn geredet und die Zeit nicht wirklich begriffen, aber eigentlich könne man ihn nicht entbehren.[108] Tatsächlich entzog man Thomas Mann erst im Jahre 1936 die deutsche Staatsbürgerschaft, was die philosophische Fakultät der Universität Bonn veranlaßte, ihm den seinerzeit für seine Verdienste um die deutsche Sprache und Literatur verliehenen Titel eines Ehrendoktors wieder abzuerkennen. Die Maßnahme wurde ausgelöst durch die im Jahre 1936 einsetzende publizistische Aktivität Thomas Manns gegen das Naziregime. Thomas Mann hatte lange geschwiegen, sich am Zürichsee wieder ein Domizil geschaffen und die Arbeit an seinem großen Josefsroman fortgeführt. Seine dem Tagebuch anvertrauten Gedanken zum Zeitgeschehen aus den Jahren seines publizistischen Schweigens sind uns heute unter dem Titel »Leiden an Deutschland«[109] zugänglich. Sie sind ein großartiger zeitgenössischer Kommentar zu den Vorgängen im Dritten Reich und vertiefen in besonders eindrücklicher, wenn auch aggressiver Weise seine schon in der Wei-

marer Zeit gemachten Äußerungen über den Zusammenhang
zwischen deutscher Geistesentwicklung und nationalsozialistischer Machtergreifung und Machtausübung. Diese Blätter wurden damals nicht bekannt. Das erste wichtige Zeugnis gegen den
nationalsozialistischen Staat ist ein (damals nicht veröffentlich-
ter) Brief an das Reichsministerium des Innern von der Jahres-
wende 1933/34[110], in welchem Thomas Mann das Ministerium
darum ersuchte, man möge ihm seinen abgelaufenen Paß erneuern und ihm sein Mobiliar, insbesondere die ihm unersetzliche
Bibliothek seines Hauses in der Münchner Poschingerstraße
(heute Thomas Mann-Allee) rechtmäßig zurückgeben. Dieses
Schreiben ist mit einer ausführlichen Begründung seiner politischen Haltung von den »Betrachtungen« bis zum Ende der Weimarer Republik versehen und enthält eine deutliche Absage an
das »neue« Deutschland sowie ein Bekenntnis zu seinem Emi-
grantentum, wiewohl er nicht umhin kann zu sagen, daß viel
Falsches geschehen mußte, um ihn in diese schiefe Lage zu bringen. Der Brief blieb ohne Antwort.

An die Öffentlichkeit trat der Dichter gegen die NS-Herrschaft
erstmals durch eine Replik auf den Feuilletonisten der »Neuen
Zürcher Zeitung«, Eduard Korrodi, am 3. Februar 1936. Seither
reißen seine antifaschistischen Stellungnahmen zum Zeitgeschehen nicht mehr ab.

Daß übrigens die im Dritten Reich öffentlich sanktionierte
Verwerfung Thomas Manns nicht nur auf die subalternen Diri-
genten der deutschen Kulturpolitik in Goebbels' Reichsschrift-
tumskammer beschränkt blieb, sondern auch manchen nicht in
den Reihen der NSDAP großgewordenen Vertretern des deutschen Kulturlebens genehm war, zeigt in bestürzender Deutlichkeit der »Protest der Richard-Wagner-Stadt München« gegen
Thomas Mann vom Frühjahr 1933. Er ist das aufschlußreichste
Dokument im Rahmen einer wilden Agitation gegen den im
Ausland befindlichen Thomas Mann, die auch der unmittelbare
Anlaß für seinen Entschluß war, sich fürs erste in der Schweiz
eine neue Heimstatt zu suchen. Der »Protest« ist symptomatisch

für die Haltung der zur Zusammenarbeit mit den Nationalsozialisten bereiten deutschen Intelligenz:

»Nachdem die nationale Erhebung Deutschlands feste Gefüge angenommen hat, kann es nicht mehr als Ablenkung empfunden werden, wenn wir uns an die Öffentlichkeit wenden, um das Andenken an den großen deutschen Meister Richard Wagner vor Verunglimpfung zu schützen. Wir empfinden Wagner als musikalisch dramatischen Ausdruck tiefsten deutschen Gefühls, das wir nicht durch ästhetisierenden Snobismus beleidigen lassen wollen, wie das mit so überheblicher Geschwollenheit in Richard Wagner-Gedenkreden von Herrn Thomas Mann geschieht.

Herr Mann, der das Unglück erlitten hat, seine frühere nationale Gesinnung bei der Errichtung der Republik einzubüßen und mit einer kosmopolitisch-demokratischen Auffassung zu vertauschen, hat daraus nicht die Nutzanwendung einer schamhaften Zurückhaltung gezogen, sondern macht im Ausland als Vertreter des deutschen Geistes von sich reden.«

Als Beispiele, die zur Kritik herausforderten, werden aus Thomas Manns Rede u. a. folgende Stellen zitiert: *Wagners Werk sei ein mit höchster Willenskraft ins Monumentale getriebener Dilettantismus oder, es sei die Musik einer beladenen Seele ohne tänzerischen Schwung.*

Der Protest fährt dann fort:

»Wir lassen uns eine solche Herabsetzung unseres großen deutschen Musikgenies von keinem Menschen gefallen, ganz sicher aber nicht von Herrn Thomas Mann, der sich selbst am besten dadurch kritisiert hat, daß er die ›Gedanken (sic) eines Unpolitischen‹ nach seiner Bekehrung zum republikanischen System umgearbeitet und an den wichtigsten Stellen in ihr Gegenteil verkehrt hat. Wer sich selbst als dermaßen unzuverlässig und unsachverständig in seinen Werken offenbart, hat kein Recht auf Kritik wertbeständiger deutscher Geistesriesen.«

Unterzeichnet u. a. von H. Knappertsbusch, Rich. Strauß, H. Pfitzner, F. Langenfaß, O. Gulbransson, W. Gerlach.[111]

Bestürzt ob solch schrecklicher Vereinfachung schrieb Thomas Mann an die Berliner DAZ einen Brief, in dem er jene Stellen seines Wagneraufsatzes heranzog, die von seiner Liebe zu Wagners Musik zeugten[112], aber was konnte diese Richtigstellung schon richtigstellen? Der Geist des Dritten Reiches – und damit sind auch die neuen »Kulturträger« gemeint – war, sofern überhaupt verantwortungsvoller Geist an ihm war, von einem groben Schematismus, ohne Empfinden für die Nuance. Die ironische Distanz, die Thomas Mann in seinem Essay über Wagner zwischen sich und den genialen Musiker gelegt hatte, war nicht nach dem Geschmack seiner Antagonisten, die nur noch Freund und Feind zu unterscheiden verstanden und dieses nationalsozialistische Prinzip des Politischen (Carl Schmitt) sinngemäß auch auf die Ahnengalerie ihrer neuen »Geisteskultur« übertrugen. Die Wahrheit war nun nicht mehr vielschichtig, komplex, aus zahlreichen Aspekten zusammengesetzt, sie war ausgerichtet und uniform. Jede Kritik am sogenannten »deutschen Kulturgut« war bösartigste Zersetzung. Verpönt war die humane Zwielichtigkeit des Ironischen, dekadent das literarische Verfahren zumal in einem Land, das sich anschickte, sich wieder auf seine »volk- und erdhaften Ursprünge« zu besinnen.

Im Dritten Reich war kein Platz für Thomas Mann, auch wenn der eine oder andere es ganz gern gesehen hätte, daß er geblieben wäre. So wie er angelegt war, hätte er nicht schweigen können. Der Rückzug in die Innerlichkeit wäre ihm psychologisch unmöglich gewesen, zumal er gesehen hatte, wohin ein Land kommen konnte, dessen Intellektuelle sich in dieser Innerlichkeit einigelten und statt Stacheldraht und Gefängnismauern »Rosen und Marmor«[113] sahen, weil sie, mit unserem Autor zu sprechen, ihren Traum von Deutschlands Reich und seiner Erhebung mit jener blutigen Travestie Adolf Hitlers verwechselten.

Es ist viel darüber gemutmaßt worden, warum Thomas Mann in den ersten beiden Jahren seines Exils keine öffentlichen Äußerungen gegen den Nationalsozialismus von sich gegeben hat. Thomas Mann selbst hat es damit begründet, daß er seine Leserschaft in Deutschland nicht verlieren wollte, sich also nicht die Möglichkeit verbauen mochte, wenigstens durch seine Werke in den Deutschen weiterzuleben und weiterzuwirken. Er hat nie um eine Anerkennung durch die Nationalsozialisten gebuhlt. Es war ihm sehr bald klar, daß er ein Vertriebener war und daß er, wollte er geistig und moralisch vor sich selbst und seiner Idee des Deutschtums bestehen, sich eine neue Lebensbasis schaffen müßte, außerhalb Deutschlands, in einer Welt jedoch, die, wie er meinte, seinem Wesen freundlicher gesinnt sei als jenes Deutschland, das sich nun zum gewalttätigen Richter über das Deutschtum aufschwang.

Die Vertreibung aus Deutschland ist für Thomas Mann bestimmt der schwerste Schock seines Lebens gewesen. Es war nicht Überheblichkeit und Arroganz, wenn er sagte, daß er aus *seinem* Lande vertrieben worden sei, in dem sich nun *fremde Eroberer* (wiewohl sie Deutsche waren) breitmachten und eine Herrschaft wider alles gute Deutschtum aufrichteten. Er sei ein älterer und besserer Deutscher als jene fremden Eroberer, schrieb er in einem Brief an Ernst Bertram, seinem langjährigen geistigen Freund und Gesprächspartner vom ersten Weltkrieg bis zum Ende der Republik.[114] Doch das nationalsozialistische Deutschland konnte Thomas Mann nicht verzeihen, daß er, solange es noch geistige Freiheit in Deutschland gab, vor dieser Bewegung als einem Unheil für die deutsche Zukunft gewarnt hatte. Sein Name wurde zum Spott feilgeboten, seine Bücher mit denen anderer Mißliebiger zum Gegenstand verzückter Autodafés, sein Haus wurde beschlagnahmt und seinem Besitzer jeder Zutritt verwehrt.

Das, was auf Thomas Mann persönlich hereinbrach, war zweifellos schlimmer als seine ohnehin düsteren Ahnungen es wohl erwarten ließen. Zwar ist es ihm, dank seines literarischen Erfolgs, verglichen mit den schweren Schicksalen vieler anderer aus Deutschland Vertriebener, in der Emigration vergleichsweise gut gegangen, aber das besagt noch nichts über die Betroffenheit, aus seinem Lande verstoßen zu sein, die ihn so furchtbar quälte. Diejenigen, die sich als Sprecher der sogenannten »Inneren Emigration« in den Jahren nach 1945 über seine »aus der Behaglichkeit des sonnigen Kaliforniens« geführten Reden eiferten und es sich hoch anrechneten, bei der »armen Mutter Deutschland« geblieben zu sein[115], sie hatten keine Ahnung, was es für einen so sehr zur Repräsentanz neigenden Schriftsteller wie Thomas Mann bedeutet hat, aus seinem Vaterlande ausgestoßen zu sein.

Mochten jene später einiges durchlitten haben, als die Hüter nationalsozialistischer Kultur auch ihnen das Leben schwer machten, jener furchtbare Anfangsschock und die Fremde blieben ihnen erspart.[116]

Wie falsch es gesehen war, als die »inneren Emigranten« in Deutschland nach 1945 sich gerade Thomas Mann erkoren, um ihm zu sagen, wie sehr sie gelitten und wie schön es vielleicht dagegen jene »äußeren Emigranten« gehabt hätten, die sich wie Thomas Mann in Kalifornien gesichert und ruhig ihrer Arbeit hingeben durften, erhellt aus dem bereits erwähnten Brief an Eduard Korrodi, den Feuilletonchef der »Neuen Zürcher Zeitung«. Korrodi hatte Anfang des Jahres 1936 heftig auf einen Artikel von Leopold Schwarzschild, dem Herausgeber des in Paris erscheinenden »Neuen Tagebuch«, reagiert, der die Behauptung aufstellte, durch Hitlers Machtergreifung seien fast alle deutschen Literaturschaffenden von Bedeutung ins Ausland vertrieben worden. Korrodi hatte dagegen auf noch in Deutschland lebende und wirkende Autoren aufmerksam gemacht, die auch zur deutschen Literatur zählten und Schwarzschilds einseitigen Anspruch, es gebe eine wahre deutsche Literatur nur noch im Ausland, energisch bestritten. Thomas Mann pflichtete Korrodi insofern bei, als er zugab, daß keinesfalls die gesamte deutsche Literatur in der Emigration sei, korrigierte aber Korrodis Unterstellung, Schwarzschild identifiziere hier die deutsche Literatur mit der jüdischen, was jene andere unmögliche Identifizierung nach sich ziehe, die Emigrantenliteratur und die jüdische Literatur seien ein und dasselbe.

Bezeichnend an diesem Brief ist, daß Thomas Mann sich offen gegen das NS-Regime stellt, jedoch die innere Emigration in

Schutz nimmt. Er schreibt: *Die außerhalb dieser* (der deutschen) *Grenzen lebenden Schriftsteller sollten, so meine ich, nicht mit allzu wahlloser Verachtung auf diejenigen herabblicken, die zu Hause bleiben wollten oder mußten, und nicht ihr künstlerisches Werturteil ans Drinnen oder Draußen binden. Sie leiden; aber gelitten wird auch im Innern, und sie sollten sich vor der Selbstgerechtigkeit hüten, die so oft ein Erzeugnis des Leidens ist.*[117]

Und Thomas Mann denkt an seinen eigenen Fall, wenn er seine Emigrantenkollegen davor warnt, auch jene Berufsgenossen der Abtrünnigkeit vom gemeinsamen Emigrantenschicksal zu zeihen, welche sich, ob nun das Dritte Reich vergehe oder noch lange bestehen bleibe, nicht alle Brücken zu ihrem Lande abbrechen wollten, um sich ihrer Wirkungsmöglichkeiten nicht völlig zu begeben.[118]

Thomas Mann unterschätzte zumindest damals die Schwierigkeiten der in Deutschland zurückgebliebenen Schriftsteller nicht. Wenn er nach der Kapitulation des Dritten Reiches davon nichts mehr zu wissen schien, vielmehr den Ausspruch riskierte, allen zwischen 1933 und 1945 erschienenen Büchern hafte ein Geruch von Blut und Schande an[119] – eine Aussage, die er freilich später wieder einschränkte –, so war durch sein Emigrantendasein, vor allem aber durch den furchtbaren Weg des Dritten Reiches, doch eine gewisse Verwandlung in ihm vorgegangen, die ihn härter urteilen ließ. Es ist jene Entwicklung, die bis zur Ausarbeitung des »Doktor Faustus« und des ihm zugehörigen Vortrages über »Deutschland und die Deutschen« führt. Sie bringt insgesamt nur eine Akzentverschiebung, die jedoch als solche unsere Beachtung verdient.

Das große Thema der öffentlichen Reden, die Thomas Mann in den zwanziger Jahren gehalten hat, nämlich das Verhältnis von Geist und Politik mit deutlichem Abrücken von der irrationalistischen Geistesbewegung, sofern sie sich auf das politisch-soziale Gebiet verlegt, bleibt auch ein Topos seiner Reden in der Emigration. Es findet sich ausführlich abgehandelt und auf die gesamte europäische Geisteslage bezogen in dem Aufsatz »Achtung Europa«[120], den Thomas Mann für einen europäischen Geisteskongreß in Nizza im April 1935 schrieb, und kehrt in immer neuen Variationen wieder bis hin zur romanhaften Gestaltung dieses Problems im »Doktor Faustus«. Nach dem zweijährigen Schweigen, das Thomas Mann sich auferlegt hatte, werden nach 1936 die Reden und Kommentare zum Zeitgeschehen wieder häufiger. Es ist ihm, wie er verschiedentlich beschreibt, einfach unmöglich, seinem Herzen nicht Luft zu machen, nicht zu sagen, was er über die Entwicklung des nationalsozialistischen Deutschland und seine Stellung in der Welt denkt. An Karl Kerényi schrieb er darüber unter dem Datum des 4. 8. 1934:

Was geht mich die Weltgeschichte an, sollte ich wohl denken, solange sie mich leben und arbeiten läßt? Aber ich kann nicht so denken. Mein moralisch-kritisches Gewissen ist in einem beständigen Reizungszustande, und immer unmöglicher wird es mir, dem, mag sein, sublimen Spiel meiner Roman-Arbeit weiter nachzuhängen, bevor ich nicht ›Rede und Antwort‹ gestanden und mir vom Herzen geschrieben, was darauf liegt an Sorge, Erkenntnis, quälendem Erlebnis und auch an Haß und Verachtung ... Ein Mensch und Schriftsteller kann nur tun, was ihm auf den Nägeln brennt, und daß die Krise der Welt auch mir zur Lebens- und Arbeitskrise wird, ist in der Ordnung, und ich sollte ein Zeichen meiner Lebendigkeit darin sehen.[121]

Viele Deutsche haben ihm das Ergebnis dieser besonderen Veranlagung, seinen echten Moralismus, verübelt, weil es ihnen so schien, als geriere Thomas Mann sich als Praeceptor Germaniae, eine Rolle, die sie zumindest nicht allein von ihm gespielt sehen wollten. Daß Thomas Mann im Laufe seines Emigrantendaseins in dieses Licht geriet, hatte drei Gründe:

1. Thomas Mann war kein Ästhetizist, sondern seiner Natur nach ein Moralist. Wenn er in seinem dichterischen Werk das Panorama der Wirklichkeit mit kühl-ironischer Distanz, jedoch keineswegs ohne innere Beziehung, vor dem Leser entfaltete und sich, sofern politisch-soziale Fragen berührt wurden, nicht ein-

deutig entschied, so mußte er auf der anderen Seite die künstlerisch gebotene Distanz kompensieren durch ein entschiedenes
Wort im Hinblick auf die politisch-sozialen Zustände seiner Zeit.
Er wußte, daß man als Künstler unter Umständen davon absehen
und sich ganz dem Spiel der Phantasie und dichterischen Gestaltung widmen kann, aber für ihn war der Auftrag des Dichters
als eines Zeitgenossen weiter und umfassender. Wenn er darum
immer wieder sein Wort und seine Meinung zu den Zeitereignissen gab, so nicht als Politiker – das wollte er nie sein, und so
hat er sich nie verstanden –, sondern als geistiger Mensch, der
sich für die Gestaltung und Entwicklung seiner Mitwelt verantwortlich fühlt. Nur wer die scharfe Trennung von Dichtertum
und sozialer Verantwortung betreibt, kann Thomas Mann den
Vorwurf machen, in die Arena hinabgestiegen zu sein und von
Dingen geredet zu haben, von denen er aufgrund seines Berufes
angeblich nichts verstand. Der Beweis, daß er von diesen Dingen
nichts verstand, ist bisher nicht schlüssig erbracht worden. Meinungen, die anderen unangenehm sind, sind darum nicht irrig,
und das national-konservative Literatentum, das er so heftig aufs
Korn nahm, hat seinerseits keine Mühe gescheut, Dichtung mit
Politik zu verbrämen. Warum sollte sich ein Dichter, noch dazu
von den hohen Gaben Thomas Manns, nicht um sein Land sorgen dürfen und diese Sorge nicht aussprechen sollen? Thomas
Mann schied zwar die Sphäre der Kunst und der politischen Essayistik, aber sie waren gewissermaßen komplementär. Er hätte
das eine nicht tun können, ohne das andere zu lassen.

2. Thomas Mann war einer der führenden Repräsentanten des
geistigen Deutschland zur Zeit der Weimarer Republik und auch
noch während der Emigration für die gesamte geistige Welt
außerhalb Deutschlands. Diesen Rang hatte er sich nicht in erster Linie als Redner zu geistespolitischen Fragen, sondern kraft
seiner künstlerischen Hervorbringungen erworben. Darum war
sein Wort zum Zeitgeschehen in der Welt besonders geachtet,
kam es doch von dem Manne, den viele Zeitgenossen als den
größten lebenden deutschen Dichter verehrten. So hatte sein öf

fentlich gesprochenes Wort zu Zeitfragen von vorneherein besonderes Gewicht, und wenn er über Deutschland, seine Gegenwart und Zukunft sprach, so war die vermeintliche Attitüde eines Praeceptor Germaniae eine Folge seines künstlerischen Ranges und seiner literarischen Bedeutung.

3. Thomas Mann war der ungekrönte König der literarischen Emigration, zumindest der in die USA emigrierten Schriftsteller. Diesen Rang erwarb er sich nicht nur aufgrund seines literarischen Weltruhms, den niemand seiner Co-Emigranten nur annähernd erreichte, sondern auch, weil er derjenige war, der seinen Kollegen nach Kräften zu helfen bereit war und vieles für sie tat. Ludwig Marcuse hat in seinen Erinnerungen[122] diese Rolle Thomas Manns besonders hervorgehoben. Der Vorwurf, er spiele sich in der Emigration als Lehrmeister für demokratisches Wohlverhalten auf, kam bezeichnenderweise nur von Deutschen und oft nur von solchen, denen Thomas Mann die demokratische Grundgesinnung voraus hatte.

─────── 10 ───────

Krieg dem Faschismus

Die wesentlichen Etappen der publizistischen Tätigkeit Thomas Manns während der Herrschaft des Nationalsozialismus sind schnell dargestellt. Nach anfänglichem Schweigen, geboren aus der Hoffnung, nicht alle Brücken zu seinem Deutschland abzubrechen, das er auch unter den Marschstiefeln des Nationalsozialismus noch am Leben wußte, tritt er 1935/36 wieder aus seiner Reserve hervor. Er schreibt den bereits erwähnten Beitrag »Achtung Europa!«, den Brief an E. Korrodi, gibt dann in Zürich als Organ der deutschen Literatur im Exil die Zeitschrift »Maß und Wert« mit heraus, die angesichts der Maßlosigkeit und Unterdrückung der wahren, humanen Werte durch das offizielle Deutschland unverrückbare und dauerhafte Maßstäbe zu setzten sucht. Er richtet im Sommer 1936 einen Brief an das Nobel-Friedenspreis-Komitee in Oslo[123], in dem er dafür eintritt, dem in einem Konzentrationslager übel zugerichteten Pazifisten und Publizisten Carl von Ossietzky den Friedenspreis zu verleihen. Der Brief selbst ist eine Meisterleistung dialektischer Gedankenübung. Er nimmt die nationalsozialistische Regierung mit ihren Friedensbeteuerungen beim Wort und sagt, es wäre ein ehrenrühriges Mißtrauen gegen die heiligen Versicherungen der deutschen Regierung und ein ernster Verstoß gegen die internationale Höflichkeit, wenn man Ossietzky den Preis darum vorenthielte, weil die deutsche Regierung diese Auszeichnung vielleicht übel vermerken könne.

Der Brief ist eines der schneidendsten antinationalsozialistischen Stücke, die wir von ihm kennen, obwohl er gar nichts von jener moralischen Empörung durchblicken läßt, die Thomas

Mann gegenüber dem Regime hegte. Es folgt bald darauf sein berühmtes Schreiben an den Dekan der Universität Bonn[124], die im Gefolge der Ausbürgerung ihrer Satzung gemäß Thomas Mann auch die früher verliehene Ehrendoktorwürde entzog. Der Brief an Bonn ist ein moralisches Verdikt über die deutschen Universitäten und vor allem über jene, die nun über ihren Geist gebieten und sich für befugt halten, ihm, Thomas Mann, sein Deutschtum abzusprechen. Er ist die lautere Stimme der Freiheit, hineingesprochen in die Wüste der Unfreiheit und der geistigen Knebelung.

Im Zusammenhang mit Reisen und schließlicher Übersiedlung in die USA folgen dann die großen Vorträge »Vom kommenden Sieg der Demokratie«[125] und »Dieser Friede«[126], beides energische Appelle an die freie Welt der westlichen Demokratien, den Faschismus als das tödliche Gift für Europa und die Welt zu erkennen, sich aller seichtpazifistischen Mentalität zu entschlagen und eine militante Form des Humanismus zu entwickeln, die es nicht zuläßt, daß sich jene, die die Humanität mit Füßen treten, der liberalen Institutionen bedienen. Es ist ein Gedanke, der inzwischen zum Allgemeingut unseres Verfassungslebens geworden ist. Er war in eine Situation gesprochen, in der es schien, als sähen die Westmächte, die den faschistischen Aufstieg gutmütig gewähren ließen, die Gefahr nicht, die ihren Völkern und der westlichen Zivilisationsidee von den faschistischen Mächten drohte. Damals war es auch, daß Thomas Mann jene prinzipielle Unterscheidung des Kommunismus vom Faschismus entwickelte, die er bis zuletzt beibehalten hat. Er kam darauf, weil es ihm schien, als sei die westliche Welt gegenüber dem Faschismus darum so anfällig und weich, weil sie wie gebannt auf die Entwicklung des Kommunismus starre, von dem allein alles Übel kommen könne. Thomas Mann bestritt nicht, daß sich Übles in der Sowjetunion zutrug, aber er sah im Kommunismus zumindest noch einen Schatten progressiver Entwicklung, während ihm der Faschismus als »la réaction pure«, aufgeputzt durch ein verfängliches modernistisches Vokabular, erschien. Im

Kommunismus, so betonte er wiederholt, sei wenigstens noch die Spur einer Idee zu finden, während der Nationalsozialismus ideenmäßig gar nicht zu fassen sei, sondern einfach eine Schlechtigkeit darstelle. Angesicht der realen Bedrohung durch den expansiven Faschismus sollten die Westmächte darum endlich erkennen, von wo ihnen am unmittelbarsten Gefahr drohe und ihre Demokratie stärken, damit ihr auch wirklich der Sieg in der ideologisch-sozialen Auseinandersetzung der Zeit gehöre. Dieser Sieg, so meinte er, sei aber nur dann zu erringen, wenn man die liberale Demokratie fortentwickele zu einer sozialen Demokratie und damit sowohl den reaktionären Schalmeientönen des nationalen Sozialismus wie denen des Bolschewismus den Wind aus den Segeln nehme.

Aus dieser Zeit rührt auch seine uneingeschränkte Bewunderung für Präsident Franklin D. Roosevelt, der die amerikanische Krise der frühen dreißiger Jahre durch einen Schritt auf die soziale Demokratie hin gemeistert hatte, und der anläßlich einer Begegnung im Weißen Haus im Jahre 1941 einen unauslöschlichen Eindruck auf Thomas Mann hinterließ. Bei dieser Begegnung, stellte Thomas Mann rückblickend fest, sei er überzeugt worden, daß Hitlers Herrschaft bald zu Ende gehen werde.[127]

Fortentwicklung der liberalen zur sozialen Demokratie, Entschlossenheit zur Verteidigung der Freiheit und der Humanität trotz des Kriegsrisikos und die Überzeugung, daß die vom Faschismus ausgehende Gefahr für Freiheit und Humanität gegenwärtig viel bedrohlicher sei als der Bolschewismus, das waren die wesentlichen Punkte der Reden und Schriften Thomas Manns in der nationalsozialistischen Ära. Er hatte schon früh durchschaut, daß die so großartig gefeierte völkische Erhebung in den europäischen Krieg führen müsse, wenn er auch zuweilen hoffte, Hitler würde dieses Äußerste nicht riskieren. Er sah in aller Deutlichkeit, wie Hitler, der trotz aller Widerlichkeit als politisches Phänomen auch für ihn etwas Faszinierendes hatte, seine Nation sich gefügig machte und alle Widerstandsnester ausräucherte, um seine Nation für die Politik der Eroberung stark zu machen.

Er sah es mit den geschärften Augen dessen, der die Vertreibung durchlitten und den der Aufstieg dieses demagogischen Politikers Heim und Vaterland gekostet hatte. Thomas Mann wußte, daß er Hitler und sein Regime haßte. Für ihn, so bekannte er, wären jetzt moralisch gute Zeiten angebrochen. Das Böse und Widerwärtige in der Welt sei so offenkundig, daß die Stellungnahme nicht schwer fallen könne. Dessenungeachtet hat sich Thomas Mann auch bemüht, den Haß-Affekt zurückzudrängen. Davon zeugt die 1938 veröffentlichte Studie »Bruder Hitler«[128], die nach seinen Prinzipien künstlerischer Gestaltung verfaßt ist, also mit Ironie durchsetzt, und Hitler als Phänomen, als Genie deutet, als unangenehmen und beschämenden »Bruder«, der auf seine Weise das große Beispiel für die »Verhunzung« des großen Mannes sei. Ein Beispiel immerhin, dem man eine angewiderte Bewunderung entgegenbringen könne. Hitler als Erscheinungsform des Künstlertums, ästhetisch interessant, moralisch empörend und widerwärtig.

Thomas Mann hatte in seinem Schreiben an den Dekan der philosophischen Fakultät der Universität Bonn bereits seiner Überzeugung Ausdruck verliehen, daß der Faschismus in den Krieg führen müsse. Damals, als Hitler sich dank der Nachgiebigkeit der westlichen Demokratien so großartiger außenpolitischer Erfolge brüsten konnte, als noch die wenigsten Deutschen glaubten, daß diese Politik in den Krieg führen würde, schrieb Thomas Mann die Sätze:

Sinn und Zweck des nationalsozialistischen Staatssystems ist einzig der und kann nur dieser sein: das deutsche Volk unter unerbittlicher Ausschaltung, Niederhaltung, Austilgung jeder störenden Gegenregung für den »kommenden Krieg« in Form zu bringen, ein grenzenlos willfähriges, von keinem kritischen Gedanken angekränkeltes, in blinde und fanatische Unwissenheit gebanntes Kriegsinstrument aus ihm zu machen. Einen anderen Sinn und Zweck, eine andere Entschuldigung kann dieses System nicht haben; alle Opfer an Freiheit, Recht, Menschenglück, eingerechnet die heimlichen und offenen Verbrechen, die es ohne Bedenken auf _sich genommen hat, rechtfertigen sich allein in der Idee der unbedingten Ertüchtigung zum Kriege._[129]

Zu diesem Zeitpunkt, Anfang 1937, freilich, hielt er noch dafür, daß die Deutschen dann von ihren Führern und den Nutznießern des Systems abfallen würden; der Krieg müßte sich nach der ersten Niederlage in einen Bürgerkrieg verkehren.

Den Glauben an eine notwendige Trennung zwischen der nationalsozialistischen Führerschaft und dem deutschen Volk hielt Thomas Mann aufrecht. Er bestimmt auch seine umstrittenen Radioreden an die deutschen Hörer. Nach allem, was er im Ausland von den bösen Vorgängen in Deutschland erfuhr – und was viele Deutsche nicht wissen konnten –, nach allem ferner, was er an Gutem über dieses Volk wußte, vermochte er nicht zu glauben, daß die Deutschen, sobald sie erst einmal ihre neue Führung durchschauten, ihr die Treue halten würden. Er hat in diesem Fall die Deutschen überschätzt. Die meisten von ihnen sahen oder wollten nicht sehen, was gespielt wurde, und sie sahen es auch nur mangelhaft, als sie für Hitler in den Zweiten Weltkrieg zogen. Thomas Mann hat immer wieder vorausgesetzt, die Deutschen könnten Einsicht haben in das Geschehen, in welches ihr Führer sie hineinriß. Gewiß gab es manche, die Einblick hatten und doch umständehalber nicht aufbegehrten, aber die vielen, die sich willig dem nationalsozialistischen Unternehmen zur Verfügung stellten, hatten allzu oft weder Fähigkeit noch Kraft, das Lügengewebe zu durchstoßen. Eingespannt in die Maschinerie des totalen Staates folgten sie ihrem Führer bis in den Untergang. Thomas Mann hingegen hatte von Anfang an das Katastrophenzeichen an der Stirn des Nationalsozialismus gesehen, und als 1939 der Krieg über die Welt hereinbrach, jener Krieg, den Hitler entfesselt hatte, während er sein Volk in dem Glauben wiegte, er sei zur militärischen Verteidigung des Großdeutschen Reiches gezwungen worden, da war ihm dies nur eine schreckliche Bestätigung dessen, was er geahnt und vorausgesagt hatte. _Hat es einen Sinn, die Augen vor der Wahrheit zu verschließen, die selbst durch geschlossene Lider beißt: daß in ... allem, aber auch allem,_

was in Deutschland seit dem Machtantritt dieser Minderwertigen
vor sich ging, der Krieg schon enthalten war?[130]
Er war aus diesem Grund tief überzeugt davon, daß die innere Verfassung eines Volkes auch seine Wirkungen nach außen, im
Verhältnis zu den anderen Völkern haben müßte, und daß es ein
Fehler der Demokratien sei, noch immer am Prinzip der absoluten Souveränität der Nationalstaaten festzuhalten. Das daraus resultierende Prinzip der Nichteinmischung in die inneren Angelegenheiten eines Volkes sei antiquiert und entspreche nicht
mehr den sozialen Ansprüchen der Zeit. Die Ichsucht der Nationalstaaten müsse in Zukunft Opfer für den Frieden bringen. Das
Beharren auf schrankenloser Souveränität bringe eine die Existenz Europas gefährdende Anarchie hervor, die man nach diesem Kriege nicht wieder entstehen lassen dürfe. Vielmehr müsse
das Ziel dieses Krieges ein Friede sein, der endlich diesen Namen
verdiene, und zwar die festgegründete Gemeinschaft freier, einander verantwortlicher Völker unter einem alle bindenden Sittengesetz.
Und etwas weiter heißt es in dem Aufsatz »Dieser Krieg«:
Denn dies ist die gewisse Wahrheit, die klar vor jedem wirklichen
Freunde und Kenner Deutschlands, jedem Bewunderer seiner wirk
lich großen Eigenschaften liegt: daß es nur groß und glücklich sein
kann innerhalb eines politisch entgifteten, vom Wahn überlebter
Hegemoniegedanken geheilten Europas, das in freier Interessenge
meinschaft den Künsten des Friedens leben darf. Dies ist die Welt,
darin das politikfremde Volk der Deutschen Glück, Liebe und Ruhm
zu ernten geschaffen ist.[131]
In diesem Aufsatz ist schon im Kern vorgebildet, was Thomas
Mann nach der Niederschlagung des Nationalsozialismus an
Empfehlungen für eine Neuordnung und Behandlung Deutschlands geben sollte. Hier ist der Liberalkonservative und konservative Sozialist der Zeit von 1915 bis 1935 zum »Liberal« im amerikanischen Verstande des Wortes geworden, zu einem
Advokaten der Völkerverständigung und des Friedens, zu einem
Anhänger des Fortschritts und der allgemeinen Verbrüderung

der Völker. Es war ein nobles Programm, und seine Verwirklichung hätte der Welt gut getan; aber die Geschichte folgt nicht so selbstverständlich den gutgemeinten und vernünftigen Wünschen einsichtsvoller Männer und Frauen. Sie bringt es selten zuwege, daß die Menschen sich ihrer Erfahrung sinnvoll bedienen. Thomas Mann mußte nach 1945 erleben, daß seine Hoffnung auf eine tiefgreifende Aussöhnung der Welt, auf einen dauerhaften, durch gemeinsame, supranationale Institutionen gewährleisteten Frieden sich nicht erfüllte. Es kam die Zeit des Kalten Krieges, an dessen Zustandekommen, nach Thomas Manns Meinung, die Westmächte nicht ganz unschuldig waren, unter anderem deshalb, weil sie es nicht vermocht hatten, jene Fortentwicklung zur sozialen Demokratie zu bewerkstelligen, die er für nötig hielt. So glaubte Thomas Mann, dem Kommunismus ein gewisses moralisches Recht zu seiner revolutionären Gegensätzlichkeit zur westlichen Gesellschafts- und Wirtschaftsordnung nicht abstreiten zu können. Er fand vielmehr, und vor allem unter dem Eindruck der durch den Senator McCarthy in den USA symbolisierten Anti-Kommunistenpsychose, daß die Zerrüttung dieser Lebensordnung schon recht weit vorgeschritten sei. Zeit seines Lebens hat er sich geweigert, den Nationalsozialismus und den Kommunismus auf die gleiche Stufe zu stellen, wie das in fast jedem Handbuch der politischen Wissenschaften unter der Rubrik Totalitarismus geschieht. Für ihn war nicht der Kommunismus, der seiner Ansicht nach ein berechtigter, wenn auch viel zu gewalttätiger Gegenschlag gegen die Versäumnisse der westlichen Welt und ihrer geistig-politisch-sozialen Entwicklung war, sondern der Faschismus der Erzfeind; er galt ihm als die »verabscheuungswürdigste Kreation der politischen Geschichte«.[132]

Daß er sich zu einer Identifikation von Kommunismus und Nationalsozialismus nicht herbeiließ, hatte verschiedene Gründe. Sie lagen im Persönlichen wie im Sachlichen. Persönlich war er durch den Nationalsozialismus in seiner Existenz am tiefsten getroffen und verwundet worden. Doch nicht allein hinsichtlich seines persönlichen Schicksals, d. h. seiner Emigration, sondern vor allem auch durch seine wurzelhafte Verbundenheit mit dem deutschen Geistesleben. Es war ihm eine Pein, mitansehen zu müssen, wie »dieser Hitler« und seine Gefolgsleute den deutschen Namen, den deutschen Geist, das gesamte deutsche Volk herunterbrachten und verführten. Er hatte die geistigen Gründe dieser Anfälligkeit ja schon früh bloßgelegt, und dennoch schmerzte es ihn zu sehen, was in und mit diesem Volk geschah, das schließlich auch noch den Zweiten Weltkrieg vom Zaune brach. Der Nationalsozialismus war ihm verhaßt, weil er persönlich und als Deutscher unter ihm zu leiden hatte.

Der Kommunismus war zwar nicht seine Sache, und er hat das oft gesagt, aber er hat den Kommunismus als extremen Schritt einer Entwicklung empfunden, der sich auch die westliche Welt in einer gewissen Weise würde anschließen müssen, wollte sie sich das Unheil des Faschismus ersparen; er entsprach, auch als Extremform, für ihn immer noch der geschichtlichen Notwendigkeit. Dieser Kommunismus war nun im Zweiten Weltkriege zum Waffengefährten der westlichen Demokratien gegen den Faschismus geworden, und diese Waffenbrüderschaft schien ihm wie ein Vorbote einer künftigen Friedensordnung in der Welt zu sein, wenn erst der böse Drache des Nationalsozialismus unter den vereinten Schlägen der Alliierten sein Leben gelassen hätte. Hinzu kam – im Persönlichen – daß Thomas Mann, eben weil er als bürgerlicher Schriftsteller doch nicht zum Reaktionär im kommunistischen Sinne geworden war, von den Kommunisten selbst viel hofiert und geehrt worden ist, und dadurch mehr die Sonnenseite der kommunistischen Welt sah, stets auch Positives darin zu entdecken sich mühte, während es ihm beim Nationalsozialismus von vornherein feststand, daß er nur eine Spottgeburt aus Dreck und Feuer, eine monströse Ungeheuerlichkeit darstellte.

Thomas Mann hatte durch seine Erfahrungen mit dem Nationalsozialismus eine Art Trauma erlitten, einen Schock, der ihm zeitlebens in den Gliedern steckte. Darum war er auch so unendlich sensibel im Hinblick auf die Nachkriegsentwicklung: Überall wo er Anzeichen eines faschistischen Geistes und einer entsprechenden Haltung zu entdecken meinte, prangerte er sie an. Er verfolgte die Nachkriegspolitik, die zur Gründung der Bundesrepublik und ihrer Wiederbewaffnung führte, mit nicht geringer Sorge, weil er, in Analogie zu den Erfahrungen der Weimarer und der nationalsozialistischen Zeit, fürchten mußte, daß die Kräfte des Alten und nicht die der Neubesinnung wieder das Heft in die Hand bekämen. Er hoffte, ergriffen von der Utopie des völkerverbindenden Friedens und der Menschengemeinschaft, auf eine enge Verbindung der europäischen Völker, letztlich auf eine Heilung und Kittung des Risses, der durch die zweigeteilte Welt geht. Er hielt die Russen für friedlicher, als die Mehrheit der westlichen Politiker annahmen, den Kommunismus für einen heilsamen *challenge* der liberalen Demokratien, sich zu sozialen Demokratien fortzuentwickeln, um dem Faschismus jede aus der Gegnerschaft zum Kommunismus bezogene Lebensmöglichkeit zu rauben. So kam es, daß Thomas Mann schließlich das Wort des Erasmus auf sich bezog: »Im übrigen ist es, wie ich sehe, mein Schicksal, von beiden Teilen gesteinigt zu werden, während ich bemüht bin, für beide besorgt zu sein«.[133]

Die Idee der Vereinigung der europäischen Völker war bei Thomas Mann übrigens nicht erst eine Frucht des Zweiten Weltkrieges. Schon zu Zeiten der Weimarer Republik hatte er der Paneuropabewegung des Grafen Coudenhove-Kalergi seine Sympathien nicht versagt. Wie sehr er die künftigen Möglichkeiten einer vernünftigen Politik zu sehen geeignet war, zeigt im übrigen bereits eine Äußerung aus dem Jahre 1927 (!) über den Kolonialismus. Thomas Mann sagte damals, daß sich das nationale Erwachen der Kolonialvölker nicht mehr lange hinausschieben lasse, und daß sich der Nichtbesitz von Kolonien unter diesen Voraussetzungen als Vorteil erweisen könne.[134]

Ebenso richtig war auch die oben geschilderte Beurteilung der westlichen Appeasementpolitik gegenüber dem Dritten Reich.

Diese hat Hitler seine ersten großen Erfolge ermöglicht. Sie war in der Illusion befangen, man könne diesen Mann durch Konzessionen im Sinne des Selbstbestimmungsrechtes der Völker zu einem friedfertigen Partner europäischer Zusammenarbeit gewinnen. Thomas Mann setzte dem entgegen, gegen so etwas wie Hitler behalte man immer recht, und ein Friede, der auf so elende Missetat, auf Treuebruch und Völkerverrat gegründet sei, könne niemals von Segen sein. Er ging soweit zu behaupten, daß die herrschenden Schichten Englands, die er in besonderer Weise für die weiche Politik gegenüber Hitler verantwortlich machte, den Zusammenbruch des Faschismus gar nicht wollten, ihn nie gewollt hätten, und vermutete als Hauptmotiv der Appeasementpolitik ihre anti-kommunistische Haltung. Der Faschismus sei ihnen als europäisches Phänomen bis zu einem gewissen Grade willkommen, weil er eine scharfe Frontstellung gegen den Kommunismus beziehe. Und auf den Wogen dieses Antikommunismus könnte es dem Faschismus selbst in demokratischen Ländern gelingen, ein wenig salonfähig zu werden.[135]

Die Motive der englischen und französischen Appeasementpolitik sind ein wenig komplexer, als Thomas Mann sie in seinen Reden zu diesen Fragen darstellt, aber diese Reden (»Dieser Friede«; »Vom kommenden Sieg der Demokratie«) sind politischmoralische Reden. Sie haben das eine Ziel: Die Welt vor der Nachgiebigkeit gegenüber Hitler zu warnen, sie zu beschwören, das freundliche Spiel mit dem deutschen Führer nicht länger zu treiben, sondern ihren demokratischen Humanismus angesichts seiner akuten Bedrohung zu einem Instrument kämpferischer Selbstbehauptung umzuschmieden. Ein Entgegenkommen gegenüber Deutschland sei erst wieder an der Zeit nach Hitlers Fall. Die Erfüllung der deutschen Ansprüche bedeute gegenwärtig (1938) einen grausamen und entmutigenden Schlag gegen die auf Freiheit und Frieden gerichteten Kräfte im deutschen Volk.[136]

———— 11 ————

Reden im Kriege

A ls der Krieg dann tatsächlich ausbrach, hatte sich Thomas
Mann bereits in Kalifornien niedergelassen. Er hatte zunächst einen Ruf an die Universität Princeton angenommen,
dort einige Zeit Vorlesungen gehalten und sich sodann ein Domizil im Raum von Los Angeles geschaffen. Die wichtigsten
Zeugnisse seines politischen Denkens zum Zeitgeschehen aus
diesen Jahren sind die einmal monatlich für den britischen
Rundfunk geschriebenen und gesprochenen Reden an die deutschen Hörer[137], ein Versuch, vom feindlichen Ausland her auf
dem Wege der Ätherwellen zu seinen Landsleuten im nationalsozialistischen Herrschaftsbereich zu sprechen. Diese Ansprachen an deutsche Hörer haben selbst inländischen Kritikern,
die nicht Nationalsozialisten waren, wenig Beifall entlockt. Man
empfand sie als Worte eines Mannes, der von draußen, aus
einer ganz anderen Welt zu seinen Landsleuten spricht, und der
aufgrund dieser Distanz von der erlebten Wirklichkeit des
Dritten Reiches nicht imstande ist, den richtigen Ton zu treffen
und seinen Reden die bestmögliche Wirkung zu geben. Es läßt
sich kaum nachprüfen, welche Wirkung die Reden Thomas
Manns tatsächlich hatten. Keine Statistik kann uns darüber
Aufschluß geben, wer sie überhaupt gehört hat, geschweige denn,
wie sie von denen, die sie hörten, aufgenommen wurden. Um
ihren Charakter und ihre Wirkungsmöglichkeiten richtig beurteilen zu können, ist es angebracht, auf ihre Grundtenden-
zen etwas näher einzugehen und zu prüfen, welche geistigen
Möglichkeiten Thomas Mann zu Gebote standen, um zu seinen Landsleuten zu sprechen, und ferner, ob die Voraussetzun-

gen innerhalb Deutschlands gegeben waren, sie richtig zu würdigen.

Die Ansprachen an die deutschen Hörer, die Thomas Mann von Oktober 1940 an über den Langwellensender der BBC ausstrahlen ließ (in der Regel eine Ansprache in jedem Monat), richteten sich an jene Teile des deutschen Volkes, die sich nicht mit dem Nationalsozialismus identifizierten. Thomas Mann hat die ihm gebotene Möglichkeit willig genutzt, um in Deutschland gewissermaßen durch die Hintertür wirken zu können, nachdem es ihm sehr schnell unmöglich geworden war, seine neuen Veröffentlichungen im Dritten Reich zu verbreiten. Hatte er 1933 noch geglaubt, sich durch Zurückhaltung bei öffentlichen Äußerungen wenigstens die Fortwirkung seines literarischen Werkes zu erhalten, so waren durch die voranschreitende Totalisierung und ideologische Einebnung des Lebens in Deutschland diese Hoffnungen als Illusionen entlarvt worden. Um so entschiedener geriet darum jetzt, in diesen Ansprachen an die deutschen Hörer, das Bekenntnis Thomas Manns. Es ist ein Bekenntnis zum Frieden, zur Freiheit, zur abendländischen Kultur. Es ist eine bittere und unnachgiebige Anklage gegen das nationalsozialistische Deutschland und seine Führer, gegen den Krieg, den sie vom Zaun gebrochen.

Die Anlässe der Ansprachen sind vielfältigster Art. Mal ist es eine Rede Hitlers, mal eine Roosevelts, dann wieder ein Eingehen auf das Weihnachtsfest, des öfteren werden Nachrichten über das Vorgehen der Nationalsozialisten in den besetzten Gebieten als Ausgangspunkt der Betrachtung verwendet. Die Richtung und der Tenor der Ansprachen sind jedoch immer gleich. Thomas Mann unterscheidet zwischen den Hörern, an die er sich wenden will und die er zu überzeugen hofft, und der »Verbrecherclique«, die Deutschland in diesen Krieg gejagt hat. Die Gewißheit, daß Hitler es dabei nicht weit bringen kann, daß er scheitern muß, verläßt Thomas Mann auch in der Zeit der strahlendsten militärischen Erfolge der deutschen Wehrmacht nicht. Er ist zutiefst überzeugt, daß dieser Krieg für Deutschland nicht gut ausgehen kann, nicht gut ausgehen *darf*. Es ist ein metaphysischer Glaube, der darauf beruht, daß etwas so Böses und Schlechtes sich bei allem gebotenen Pessimismus in der Welt nicht lange werde behaupten können. Thomas Mann geht soweit, sich auch mit der Zerstörung seiner Vaterstadt Lübeck durch Luftangriffe abzufinden, weil sein Gerechtigkeitsempfinden ihm sagt, daß »alles bezahlt werden muß«, und daß ja die Deutschen mit ihren Luftangriffen auf Coventry die fatale Kettenreaktion in Bewegung gesetzt hätten. Immer von neuem weist er darauf hin, daß schließlich die Nazi-Führer es waren, die den Weltenbrand verursacht hätten, und daß die freie Welt nicht ruhen könne, bis diese Gefahr beseitigt sei. Selbst wenn nun, wie in Lübeck, das alte Buddenbrook-Haus zerstört sein sollte, so schreckten ihn diese Trümmer nicht, wiewohl sie das Symbol seiner eigenen Überlieferung wären. Es gelte nicht nur aus der Sympathie für die Vergangenheit, sondern auch aus der für die Zukunft zu leben. Hitler-Deutschland könne eben nur zerstören und darum müsse es Zerstörung leiden.

Entschieden wehrt sich Thomas Mann gegen die in den westlichen Ländern aufkommende Vorstellung, der Nazigeist sei mit dem deutschen Geist identisch. Er weiß zwar, und sagt es seinen Hörern, daß dieser Nazi-Geist die auf den »Hund und den Hitler gekommene« Abart einer deutschen, aus der Romantik herrührenden Geistesströmung ist, aber diese Entwicklung mit der Geschichte des deutschen Geistes schlechthin zu identifizieren, hält er für unzulässig. Man dürfe dem Deutschland Bachs und Beethovens getrost den längeren Atem zutrauen. Der nationale Mystizismus in seiner spezifischen Verbindung mit einer hochentwickelten Technik werde in Hitlers Deutschland so schauerlich übersteigert, daß Deutschland nach diesem Kriege hoffentlich eine ganz andere Richtung einschlagen werde. So etwas käme nicht wieder. Diese andere Richtung heißt: Einbettung Deutschlands in eine übernationale Einheit, Verzicht auf nationalstaatliche Machtpolitik. Erst dann könnten sich die großen und besonderen Gaben Deutschlands in einer für die Welt fortschrittlichen, guten Weise entfalten.

Hitler ist für Thomas Mann ein blutrünstiges Subjekt, ein Unhold, ein Schurke, dessen Politik und Kriegführung auf die Welt so entsetzlich wirkt, daß Thomas Mann ihm, der heuchelnd den Namen Gottes im Munde führe, den Namen Gottes entreißen will, um mit seinen *Hörern aus tiefstem Herzen zu sprechen: Gott im Himmel, vernichte ihn!*[138]

Die Ansprachen an die deutschen Hörer sind eine fortgesetzte Entlarvung nationalsozialistischer Heuchelei und Geschichtsklitterung. Sie reißen dem Nationalsozialismus die Maske vom Gesicht, zeigen ihn als das, was er ist, wenn man auf seine Führer und ihre Taten blickt. Zwar bringt der Krieg, den ein »blödsinniger Wüterich« entfesselte, die Aussicht mit sich, daß hinterher eine neue dauerhafte Ordnung geschaffen werden könne, eine Ordnung des Friedens für die ganze Welt, aber Thomas Mann hofft weiterhin, daß es den Deutschen selbst gelingen möge, ihr Joch abzuschütteln. So stellt er ihnen auf der einen Seite die Nazi-Führer so dar, wie sie wirklich sind – und man braucht sich gerade in diesem Falle am harten Vokabular Thomas Manns nicht zu stoßen –, auf der anderen Seite jedoch appelliert er immer wieder an die Anständigkeit seiner Landsleute und sagt ihnen: *Ein Volk, das frei sein will, ist es im selben Augenblick.* Genau so wie er in der späteren Auseinandersetzung mit Walter von Molo davon sprach, daß ein gemeinsamer Aufstand aller Geistigen im Lande den nationalsozialistischen Spuk unmöglich gemacht hätte, genau so hoffte er mitten im Kriege auf die Möglichkeit des erfolgreichen Widerstandes. Er findet schöne Worte für den Widerstand an der Münchner Universität, weil diese »braven, herrlichen jungen Leute« durch ihren Mut und ihre Unerschrockenheit wieder einiges von dem gutmachten, was die deutschen Universitäten gegen den Geist deutscher Freiheit gesündigt hätten. Für ihn ist diese Tat ein Silberstreifen am Horizont: *Es dämmert ein neuer Glaube an Freiheit und Ehre.*

Thomas Mann registriert auch die verzweifelten Hoffnungen mancher Deutscher, die vermutete Uneinigkeit zwischen den westlichen und östlichen Alliierten könne Deutschland noch retten, aber er glaubt zu wissen (und hatte damit recht für die Zeit bis zum Ende des Krieges), daß die Waffenbrüderschaft zwischen dem bolschewistischen Rußland und den kapitalistischen Ländern des Westens festgefügt sei, und sie ist ihm, der an die Notwendigkeit der Ausgleichung der fundamentalen Gegensätze in der Welt glaubt, ein Unterpfand für den erhofften Ausgleich zwischen Sozialismus und Demokratie.

Einen kräftigen Schritt auf diesem Wege hatte nach seiner Auffassung Amerika unter F. D. Roosevelt getan. Es war mit dem »new deal« zu einer sozialen Demokratie geworden, zu einer kämpferischen und sozialen Demokratie, wie er sie sich angesichts der faschistischen Bedrohung von Anfang an gewünscht hatte. Roosevelt ist für ihn der große staatsmännische Gegenspieler des österreichischen Emporkömmlings, der Mann, der die Linien der Zukunft weist, und zwar einer Zukunft ohne faschistische Gefahr, gesichert durch eine Weltorganisation des Friedens.

Thomas Mann hätte leicht triumphieren können, als sich im Jahre 1944 die deutsche Niederlage, das Ende des blutigen Machttraumes vom Ewigen Reich der Deutschen und einer Herrschaft der germanischen Rasse über die Welt, abzuzeichnen begann. Er tat es nicht. Er hatte keine Worte gescheut, um zu seinem Teil die Nationalsozialisten zu ächten, sie als das hinzustellen, was sie waren, aber er fühlte sich zeitlebens als Deutscher, obwohl er gegen Ende des Krieges die amerikanische Staatsbürgerschaft erwarb und ein stolzer und dankbarer Bürger seines Gastlandes wurde. Er war von Anfang an überzeugt gewesen, daß sich das deutsche Volk einer intensiven Selbstreinigung würde unterwerfen müssen, sollte es wieder seinen Platz unter den Nationen finden. In seiner letzten Ansprache, unmittelbar nach der militärischen Kapitulation, lesen wir die Sätze:

Der Deutsche aber, dem von den Allerunberufensten einst sein Deutschtum abgesprochen wurde, der sein grauenvoll gewordenes Land meiden und sich unter freundlicheren Zonen ein neues Leben

aufbauen mußte – er senkt das Haupt in der weltweiten Freude …
Und dennoch, die Stunde ist groß – nicht nur für die Siegerwelt,
auch für Deutschland –, die Stunde, wo der Drache zur Strecke ge-
bracht ist, das wüste und krankhafte Ungeheuer, Nationalsozialis-
mus genannt, verröchelt und Deutschland von dem Fluch wenig-
stens befreit ist, das Land Hitlers zu heißen.[139]

Bis zum Schlusse seiner Reden also hielt sich bei ihm die Idee
durch, daß Deutschland und der Nationalsozialismus zwei
Dinge seien, die nicht zur Deckung gebracht werden könnten.
Zwar schien es von außen so, daß das nationalsozialistische Regime der alleinige Repräsentant Deutschlands sei, und insofern
war es richtig zu sagen, daß die Führer dieses Volkes unermeßli-
che Schuld auf dessen Schultern geladen hätten, aber weil Thomas Mann sich so sehr als Deutscher fühlte und wußte, daß im
deutschen Volke auch andere geistige und moralische Energien
steckten als jene, die vor den Wagen der nationalsozialistischen
Eroberungs- und Rassenpolitik gespannt worden waren, darum
blieb ihm die Hoffnung auf die Erneuerung, auf die Selbstreinigung und zugleich auch die Betroffenheit darüber, daß es mit
diesem Volk so weit hatte kommen können.

Die Radioansprachen Thomas Manns sind das entschiedenste
und kompromißloseste, was Thomas Mann zu Fragen des Zeit-
geschehens geschrieben hat. Sie waren nicht gedacht als essayi-
stische Betrachtungen über die Zeit, sie sollten wachrütteln, die
Augen öffnen, den Mut zur Verantwortung für Volk und Vaterland wecken. Das ist ihre moralische Substanz. Nur in dieser
Form hatten sie einen Sinn im Wirrwarr des Krieges. Sie sind von
Haß durchtränkt, gewiß, aber es konnte nicht darum gehen, Hitler und seine Helfershelfer verstehend zu würdigen, sondern sie
bloßzustellen, sie anzuprangern und zu entlarven. Indem Thomas Mann dies eine tut, sucht er gleichzeitig in seinen Hörern
Verständnis für die Schritte der Alliierten zu wecken, weiß er sich
doch von Anfang an geradezu magisch überzeugt, daß das deutsche Abenteuer einmal schlimm enden muß.

Thomas Mann zögert nicht, die Geschichte des Kampfes gegen den Faschismus mit religiösen Termini zu unterlegen. Für ihn ist der Nationalsozialismus die »Bosheit der Hölle«, das schlechthin Teuflische. Der Krieg gegen diese Macht ist »heilige Notwehr«, denn die Welt, Gott, können es nicht zulassen, daß »Hitler mit seiner Bande« die Hegemonie über Europa bekommt und die anderen europäischen Völker zu seinen Sklaven erniedrigt. Was in diesen Vokabeln durchschlägt, ist genau jene Kreuzzugsideologie, die in Amerika den Krieg gegen den Faschismus zu einem Krieg des Guten gegen das Böse stempelte.

Man mag Kreuzzugsideologien beklagen, weil sie für die spätere Ordnung der Verhältnisse der Vernunft kaum genügenden Raum lassen, aber wenn Thomas Mann Zerstörung predigte und die Höllenfahrt für das den Nazis angemessenste Los hielt, so betraf das nicht in emotionaler Übersteigerung das gesamte deutsche Volk, das mitgefangen und darum bis zu einem gewissen Grad mitgehangen war. Es galt jenen Führern, die in der Tat Deutschland verdorben hatten, die in den zwölf Jahren ihrer Herrschaft die Welt auf eine Weise schockierten, daß sie von diesem Schock noch immer nicht voll genesen ist und sich auch heute noch seiner erinnert, obwohl »Hitler und seine Spießgesellen« schon lange nicht mehr das Zepter führen. War es Überheblichkeit, so über Hitler zu schreiben, zumal im Kriege? War es unrichtig, das Goebbelssche Lügengewebe zu durchstoßen? War es purer Utopismus, auf eine friedlichere Welt zu hoffen? War es undeutsch, Deutschland von diesem Druck und dieser Herrschaft befreit sehen zu wollen? War es inhuman, die Verächter aller Humanität zu hassen und ihre Beseitigung propagandistisch zu fordern?

Angesichts der Kritik, die gerade in Deutschland an diesen Reden geübt worden ist, fragt man sich, wie Thomas Mann eigentlich hätte reden sollen? Es wurde vorgebracht, er habe mit seinen Ansprachen die deutschen Hörer nicht erreicht, seine Stimme sei die eines Fremden gewesen, seine Worte ohne lebendigen Bezug zur deutschen Wirklichkeit jener Kriegsjahre. Wenn die Deutschen im Inneren, die von Thomas Mann ein Wort des Zuspruchs erhofft hatten, sich von ihm nicht genügend angesprochen fühlten, wie hätte er ihr Herz, ihr Gemüt erreichen, wie sie aufrichten können? War es Hochmut, davon überzeugt zu sein, daß Hitler ein Unhold war und das deutsche Volk dem Verderben ausgeliefert? War es unangemessen, seiner Überzeugung Ausdruck zu geben, daß dieser Krieg das Ende des Nationalsozialismus bedeuten müsse, sollte die Weltgeschichte nicht absolut sinnwidrig sein? Gut, man könnte sagen, er hätte nur von menschlichen Dingen reden sollen, von Gegenständen, die erbauen, kräftigen und trösten; er hätte dann z. B. besser daran getan, von Goethe zu sprechen oder das verzerrte Bild Nietzsches wieder zurechtzurücken, kurz: von den großen Gegenständen des Menschengeistes zu handeln. Doch konnte dies überhaupt der Sinn solcher Ansprachen im Kriege sein? Wenn sie mehr sein sollten als nur eine schöngeistige moralische Betrachtung über politikferne Gegenstände, wenn sie ein wirksames Wort der Zeit an die Hörer in der deutschen Heimat sein sollten, konnten diese Worte dann viel anders lauten? War Thomas Mann nicht gerade jene Stimme der Freiheit und Wahrheit, die man in Deutschland seit Jahren nicht mehr vernahm, die aber trotz ihrer Zeitbezogenheit und Leidenschaftlichkeit der Wahrheit um vieles näher war als alles, was sich in Deutschland überhaupt zu Wort melden konnte?

Die Ansprachen an die deutschen Hörer sind ein bedeutsames literarisches Dokument der Zeit. Sie sind in ihrem sachlichen Gehalt vor der Historie – zumindest wie sie heute die Epoche des Nationalsozialismus beurteilt – aufs beste gerechtfertigt. Wir finden in diesen Reden eine Grundeinstellung, die eigentlich auch die Grundeinstellung der sogenannten inneren Emigration gewesen sein muß, wenn sie diesen Namen mit Recht für sich beansprucht. Auch diese Männer und Frauen mußten in Hitler ein Übel und ein Verhängnis sehen, auch sie mußten sich schwere Sorgen um die Wahrung und Bewahrung der deutschen Kultur und des deutschen Geistes machen, auch sie mußten in der Tyrannenherrschaft ein Unglück für den freien Menschengeist und die Entfaltung des deutschen Volkes sehen. Thomas Mann hatte ihnen gegenüber freilich den Vorteil, mehr und Genaueres darüber zu wissen, was durch die Deutschen an Bösem und Verabscheuungswürdigem geschah. Dem Deutschen im Innern, der keine Widerstandsgesinnung hatte, mußten seine Reden natürlich als die eines gegen Deutschland im Kampf stehenden feindlichen Ausländers deutscher Herkunft, als Feindpropaganda, erscheinen, aber wenn Thomas Mann sein publizistisches Wirken als Verantwortung gegenüber dem deutschen Namen und dem deutschen Geist auffaßte, dem er im feindlichen Ausland wieder neuen Glanz verlieh, so frage ich mich, wie er überhaupt hätte anders reden können. Er stand nun einmal auf der anderen Seite, und nicht an ihm hatte es gelegen, daß er auf das linke Ufer des Atlantischen Ozeans geraten war. Sollten es politische Reden sein, Reden im Kriege, und das war zweifellos der Sinn des Auftrags von der BBC, so konnten und durften sie eigentlich nur diese Grundrichtung haben.

Gewiß, sie sind nicht Dutzendware emigrierter Radiokommentatoren, sie sind beschwörende Appelle an die irregewordene Nation von hohem literarischem Niveau. Wer aber sagt, daß sie unangemessen oder unpassend gewesen wären, der müßte deutlich sagen, wie man hätte reden sollen, wenn man sich nicht allein auf die private Erbauung der einzelnen beschränken wollte. Die Reden Thomas Manns geben ein von intensiven moralischen Impulsen bestimmtes Bild der nationalsozialistischen Herrschaft in Deutschland und ihrer Ausstrahlungen auf die Welt. Sie sind kein Quellenmaterial für die Geschichte des Nationalsozialismus, doch sie verdeutlichen in pointierter Form bestimmte Aspekte dieser Herrschaft, und es unterliegt keinem Zweifel, daß diese Aspekte im wesentlichen zutreffend erarbeitet worden sind. Den Deutschen, die durch die Goebbelssche Propaganda verblendet waren, mochten sie als eine Häufung von Lügen erscheinen, als bösartiger Versuch eines des Landes Vertriebenen, sich durch Unterstützung der Feindpropaganda am

Haßkrieg gegen Deutschland zu beteiligen. Aber sie wußten und sahen nicht klar genug, daß es Deutschland war, das in diesen Jahren den berechtigten Haß eines großen Teiles der Welt auf sich zog, und sie hatten wohl kein Empfinden dafür, daß es Thomas Mann wahrlich kein Vergnügen bereitete, sein Vaterland in so tiefe Abgründe stürzen zu sehen.

Die innerdeutsche Kritik an Thomas Manns Radioreden scheint mir aus einer falschen Einschätzung der eigenen Situation herzurühren, aus einem falschen Bewußtsein sozusagen. Setzt man voraus, daß der entschlossene Widerstand der übrigen Welt gegen die Achsenmächte eine notwendige und moralisch gute Sache war – und es fällt schwer, dies zu leugnen – so konnte man in dieser Lage kaum anders reden, es sei denn, man zog es vor zu schweigen. Alles andere wäre Ausweichen, Eskapismus, Politikfremdheit gewesen, eben jene Politikfremdheit, die den deutschen Geist für den Nationalsozialismus so anfällig gemacht hatte.

Wollte Thomas Mann – nachdem diese Grundposition einmal gegeben war – mit seinen Ansprachen wirken, so mußte er von der Unterscheidung zwischen den »Nazis« und dem von ihnen verführten und unterdrückten deutschen Volk ausgehen. Dennoch verhehlte er sich nicht, wie schwierig es war, diese Unterscheidung aufrecht zu erhalten. Denn der Zweite Weltkrieg, die gewaltsame Eroberung weiter Gebiete Europas durch Deutschland, die langen Jahre und die Opfer, die es die Alliierten gekostet hatte, Hitlers und seiner Vasallen Traum vom Großgermanischen Reich zu zerschlagen, sie waren eine Folge der äußeren und weitgehend inneren Einheit dieses Volkes mit seinen Führern: *In diesem Kriege hatten die Gegner Deutschlands es vom ersten Tage an mit der ganzen deutschen Erfindungsgabe, Tapferkeit, Intelligenz, Gehorsamsliebe, militärischen Tüchtigkeit, kurz, mit der gesamten deutschen Volkskraft zu tun, die als solche hinter dem Regime stand und seine Schlachten schlug, nicht mit Hitler und Himmler, die gar nichts wären, wenn nicht deutsche Manneskraft und blinde Mannestreue bis zum heutigen*

Tage mit unseligem Löwenmut für diese Schurken stritte und fiele.[140]

Der Krieg hatte die »Notidentifizierung von Nation und Regime« vollendet, und so war es in der Tat nicht ganz leicht, Verführer und Verführte auseinanderzuhalten. Sprach Thomas Mann auch bewußt nicht von kollektiver Schuld, wie dies nach der Katastrophe bei uns gängig wurde, so vermochte er doch das Gegebensein einer Art kollektiver Verantwortung des ganzen Volkes für die nationalsozialistische Politik und Kriegführung nicht zu leugnen. Er verbarg in den Tagen des alliierten Sieges über das Dritte Reich nicht seine Genugtuung über das *Zuschandenwerden einer Schandphilosophie, die uns quälte und verjagte*[141], über den Untergang dieses grandiosen Volksbetrugs, über die Bloßstellung jener *Intellektuellen mit schwachen Gehirnen*, die die *schmutzigste Travestie des Deutschtums mit diesem selbst verwechselten und nur Rosen und Marmor sahen, wo in Wirklichkeit Schmutz und Betrug am Werke waren,* jener Geistesvertreter nämlich, die Hitler als den Retter, ihren charismatischen Führer begrüßten und in seinen Eroberungszügen das »Reich« ihrer phantastisch-romantischen Visionen sich verwirklichen sahen.[142] Es war eine moralisch berechtigte Genugtuung, die Thomas Mann am Ende der nationalsozialistischen Ära erfüllte, denn das Böse war besiegt worden, die Bahn schien nun endlich frei für den Aufbau einer friedlicheren, sozial gerechteren Welt.

Gerade als Deutscher kann man Thomas Mann nur zustimmen, wenn er aus dieser Sicht der Dinge zu der Folgerung gelangte: Die technisierte Romantik, die Deutsches Reich geheißen habe, sei ein solcher Fluch für die Welt gewesen, daß keine Maßnahme zu schelten sei, die sie als Geisteszustand unmöglich mache.[143] Dies wurde zum Ausgangspunkt für seine politische Haltung in den kommenden Jahren. Er hatte den Geist des Nationalsozialismus und die Wirklichkeit die er sich schuf, mit gutem Recht als so widerwärtig und kulturzerstörerisch, ja bedrohlich für den Bestand der freien Welt empfunden, daß seine

Sorge von nun an der Frage galt, wie man für das Deutschtum eine Staats- und Lebensform entwickeln und finden könne, die es ihm erlaube, seine besten Kräfte zu entfalten und zum redlichen Mitarbeiter an einer helleren Menschenzukunft zu werden.

Behält man das im Auge, so wird man seine reservierte Haltung gegenüber den nun wieder in Freiheit laut werdenden Stimmen aus Deutschland besser verstehen und würdigen können, und man wird auch leichter begreifen, warum den Dichter nach all dem Kampf, der vorausgegangen war, zuweilen eine Stimmung der *Entmutigung* anfiel ob des Laufes einer Welt, die aus einem so verhängnisvollen Schicksal nicht genügend Lehren zu ziehen bereit schien.

Teil IV
Entmutigung

(1945–1955)

DEUTSCHLAND UND DIE DEUTSCHEN

VORTRAG,
GEHALTEN IN DER LIBRARY OF CONGRESS
ZU WASHINGTON IM JUNI
1945

12

Sorge um Deutschland und die Deutschen

Einer kritischen Deutung viel zugänglicher als die Radioreden ist der Vortrag, den Thomas Mann im Jahre 1945 in Washington über »Deutschland und die Deutschen«[144] gehalten hat. Er ist das gedankliche Destillat seiner Bemühung, am Beispiel des Adrian Leverkühn, des neuen Doktor Faustus, den geistigen Weg Deutschlands in die Hitlersche Katastrophe zu deuten. Dieser Roman ist das große politisch-dichterische Werk Thomas Manns, jenes Werk, in dem seine künstlerische Gestaltungskraft und sein jahrzehntelanges Nachdenken über Geist und Politik unmittelbar zusammengewirkt haben. In unserem Zusammenhang interessieren nicht die literarischen Probleme dieses Romans, nicht die doppelte Zeitrechnung, die in ihn hineinverwoben ist, auch nicht die Montagetechnik, die der Autor verwandt hat, und ebensowenig die spezifische Handhabung des Ironischen. Es entspricht der Absicht des vorliegenden Buches mehr, wenn wir uns an die Interpretation der Grundgedanken dieses Romans halten, wie Thomas Mann sie in dem oben genannten Vortrag gegeben hat.

Bei der Würdigung dieses Vortrags ist festzuhalten, daß er am Ende des Zweiten Weltkrieges gehalten wurde, eines Krieges, in dessen Verlauf sich auf seiten der alliierten Völker viel Haß und Unwillen über Deutschland angesammelt hatte, und auch das vom Nationalsozialismus zu trennende gute Deutschland sich bloßgestellt und entehrt fühlen mußte angesichts der Untaten, die in seinem Namen und durch seine Führer und ihre Untergebenen verübt worden waren. Wie kritisch der Vortrag in Deutschland z. T. aufgenommen wurde, zeigt die Reaktion Manfred Hausmanns, der einen Sitz in der Deutschen Akademie für Sprache und Dichtung mit der Begründung ablehnte, er könne nicht in einem Gremium wirken, dessen Ehrenmitglied Thomas Mann in seinem Washingtoner Vortrag untragbare Dinge über Deutschland und die Deutschen gesagt habe.

Thomas Mann setzt in diesem Vortrag von 1945 die gedankliche Linie seiner Betrachtungen zum Wesen des Deutschtums fort und rundet sie zu einem Bild der deutschen geistigen und politischen Entwicklung im Angesicht der nationalsozialistischen Katastrophe. Er stellt sich dabei nicht außerhalb Deutschlands, indem er es analysiert. _Wahrheiten_, so schreibt er, _die man über sein Volk zu sagen versucht, können nur das Produkt der Selbstprüfung sein_[145], und er bittet darum, seine kritische Distanz, ohne welche die Frage nicht adäquat behandelt werden könne, nicht als Untreue deuten zu wollen.

In seinem Roman hatte er einen neuen Doktor Faustus geschaffen, einen Musiker, weil er fand, daß Faust als Repräsentant der deutschen Seele musikalisch sein müsse, mit einem besonderen, dämonisch durchwirkten Verhältnis zur Tiefe ausgestattet. An zwei großen historischen Gestalten der deutschen Vergangenheit sucht der Vortrag zunächst die verschiedenen Möglichkeiten deutscher Wesensentfaltung zu verdeutlichen, an Martin Luther und Tilman Riemenschneider. Luther in _seiner Doppeldeutigkeit als befreiende und zugleich rückschlägige Kraft_, als konservativer Revolutionär, Tilman Riemenschneider als der sensible, gänzlich undemagogische Geist, mit einem Herzen, das für Menschenliebe und Menschenfreiheit schlägt und handelnd für die Freiheit eintritt. Doch Thomas Mann, der, wie so manchen seiner Portraits, Riemenschneider hier ein wenig den Charakter seiner eigenen Existenz verleiht, findet in Luther, dem _musikalischen Theolog_, das _spezifisch und monumental Deutsche_ vollkommener repräsentiert. In Luthers politisch devoter äußerer Haltung gegenüber den Fürsten und seiner inneren Leidenschaftlichkeit sieht er den deutschen Dualismus von kühner Spekulation und politischer Unmündigkeit in seiner

Wurzel angelegt, jenen Dualismus, der dann das Auseinanderfallen von nationalem Impuls und politischer Freiheit bewirkt habe.

Thomas Mann stellt dann dar, wie der deutsche Freiheitsdrang, stets nur nach außen gerichtet, der Unfreiheit im Inneren korrespondiert habe. Er spricht von dem bezeichnenden Faktum, das wir heute unter der Formel »die verspätete Nation« (Pleßner)[146] kennen, von dem völkisch-antieuropäischen Charakter der deutschen Freiheitsidee, die dem Barbarischen immer sehr nahe gewesen sei, wenn sie sich nicht, wie im Hitlerismus, ganz ungeschminkt zur Barbarei bekannte. Von dem Unverhältnis schließlich des deutschen Gemütes zur Politik. Wie es dazu kam, daß die Deutschen in der Politik nur Elemente des Bösen wirken sahen und Politik für unvereinbar hielten mit einem Minimum an Sittlichkeit und Anstand, und wie sie meinten, nur auf unanständige Weise Politik treiben zu können, wenn sie sie trieben. Dem Kosmopolitismus der deutschen Seele, einer wertvollen Anlage, die Großes hervorgebracht habe, sei eine harte Real- und Machtpolitik an die Seite getreten, die schließlich im Nationalsozialismus ins Fratzenhafte verzerrt worden sei. Aus dem romantischen Quell der deutschen Seele und der nationalen, auf innerer Unfreiheit gründenden Machtpolitik habe sich dann jene Mischung ergeben, die er technisierten Romantizismus nennt.

Ihre Anlage zum Kosmopolitismus habe die Deutschen dazu verführt, Anspruch auf politische und kulturelle Hegemonie in Europa zu erheben. Dadurch jedoch sei ein dialektischer Umschlag bewirkt worden, der zum genauen Gegenteil, nämlich zu einem bedrohlichen und anmaßenden Nationalismus und Imperialismus geführt habe. Die Geschichte der deutschen Innerlichkeit, der wir die Reformation und die Romantik als zwei große Taten der Geistesgeschichte verdankten, stehe unter einem verwirrenden Paradox: Auf der einen Seite habe sie dem europäischen Denken tiefe und belebende Impulse vermittelt, auf der anderen jedoch habe sie es stolz verschmäht, vom Geist der europäischen Humanitätsreligion und des Demokratismus irgendwelche korrigierenden Belehrungen anzunehmen. So sei den Deutschen das Gute, das sie dachten und erstrebten, oft wie durch Teufelslist zum Bösen ausgeschlagen, und die melancholische Geschichte der deutschen Innerlichkeit lehre uns, daß es eben doch verfehlt sei, ein gutes von einem bösen Deutschland zu unterscheiden.

Thomas Mann stellt sich selbst unter diese Erkenntnis; er sieht in ihr die Selbstkritik eines Deutschen, der auch in seiner Person von dieser Dialektik der deutschen Seele erfaßt ist.

Dennoch glaubt Thomas Mann am Ende des Krieges, als der blutige Traum deutscher Vorherrschaft über Europa endlich zerstoben ist, es könne gelingen, die »Masse des Guten«, die im deutschen Wesen angelegt sei, fruchtbar zu machen: *Es könnte ja sein, daß die Liquidierung des Nazismus den Weg freigemacht hat zu einer sozialen Weltreform, die gerade Deutschlands innersten Anlagen und Bedürfnissen die größten Glücksmöglichkeiten bietet. Weltökonomie, die Bedeutungsminderung politischer Grenzen, eine gewisse Entpolitisierung des Staatenlebens überhaupt, das Erwachen der Menschheit zum Bewußtsein ihrer praktischen Einheit, ihr erstes Ins-Auge-Fassen des Weltstaates – wie sollte all dieser über die bürgerliche Demokratie hinausgehende soziale Humanismus, um den das große Ringen geht, dem deutschen Wesen fremd und zuwider sein? ... Zuletzt ist das deutsche Unglück nur das Paradigma der Tragik des Menschseins überhaupt. Der Gnade, deren Deutschland so dringend bedarf, bedürfen wir alle.*[147]

Es ist auch an diesem Vortrag bezeichnend, daß Thomas Mann sich nicht außerhalb des Deutschtums stellt. Zwar ist er nun amerikanischer Bürger, doch das »Schicksal«, nicht sein Wille, hat ihn diese merkwürdige Bahn gewiesen, und er weiß, daß er nicht nur seiner Sprache wegen, sondern seinen geistigen Anlagen und Gemütskräften, seiner ganzen inneren Struktur nach zu Deutschland gehört. Das Unglück, das durch den von Hitler entfesselten Krieg über die Welt gekommen war, verlangte dringend nach einer Rechenschaft über die Frage, wie es möglich gewesen war, daß ein Volk, welches sich so großer Verdienste um die Kultur rühmen darf, eine so rücksichtslose Gewaltherrschaft über Europa aufrichten und Millionen Menschen kaltblütig vernichten konnte, nur weil sie, einer hochgeputschten barbarischen Rassenlehre zufolge, von nichtarischem Blute waren. Thomas Mann entwickelte diese Problematik an der Zwiespältigkeit der »deutschen Innerlichkeit«. Wenn er z. B. Luther als sehr deutsch empfindet und in dessen blindwütiger Raserei gegen die rebellischen Bauern ein typisch deutsches Phänomen erkennt, das auch zu manchen Phänomenen in der Geschichte des Nationalsozialismus eine gewisse Analogie hat, so unterstützt er damit nicht die primitive These, die in Figuren wie Luther, Fichte und Nietzsche direkte Vorläufer des Nationalsozialismus erblickt.[148] Wohl aber deckte er am Beispiel der Dialektik von innerer und äußerer Freiheit im Gefolge Luthers einen wesentlichen Zusammenhang auf, der auch für das Verständnis des nationalsozialistischen Herrschaftsgebarens und seiner Ideologie nicht ohne tiefe Bedeutung ist. An Thomas Manns Vortrag »Deutschland und die Deutschen« wird exemplarisch deutlich, daß der Nationalsozialismus das deutsche Volk nur zum Bösen verführen und ins Verderben reißen konnte, weil in diesem Volk, in seiner nationalen und geistigen Tradition die Möglichkeit zur Verführung enthalten war. Die Exklusivität der romantisch-deutschen Denktradition, die es laut Thomas Mann »mit der Macht gegen den Geist« hält, hatte Deutschland dem Westen gegenüber zu einer Art Fremdling werden lassen. Was Thomas Mann mit Ernst Troeltsch schon seit Beginn der Weimarer Republik gepredigt hatte, daß es nämlich an der Zeit sei, die Auswüchse des neudeutschen Romantizismus und Irrationalismus durch eine Dosis westlichen Vernunftdenkens und Humanitätsglaubens zu beschneiden, war in den Wind geschlagen worden, so daß sich die antihumanistische Geistesströmung im Nationalsozialismus ins Grausam-Groteske fortentwickeln und durch ihren Anspruch auf Herrschaft in Europa schließlich zur Bedrohung der freien Welt werde konnte.

Es fällt uns schwer zu sehen, was dieser umstrittene Vortrag an Beleidigendem und Unzumutbarem enthalten soll. Er ist in seiner Form ein recht kühler, aus der Distanz heraus gesprochener Beitrag zum Verständnis der geistespolitischen Voraussetzungen der deutschen Katastrophe. Wer freilich dafür hält, daß vorwiegend die Weltwirtschaftskrise und die unversöhnliche Politik der Versailler Vertragsmächte Hitler an die Macht gebracht hätten, und nicht auch sehen will, daß bei einem so großen innerpolitischen Erfolg, wie er den Nationalsozialisten beschieden war, auch geistige Prädispositionen im Spiele sind, der wird mit Thomas Manns feinsinniger Analyse nicht allzuviel anfangen können. Wer aber weiß, daß das Handeln eines Volkes, auch wo es nicht reflektiert ist, immer an geistige Voraussetzungen seiner Geschichte und seiner Bildung gebunden ist, wer sich ins Bewußtsein ruft, wie sehr auch ein großer Teil der in Deutschland verbliebenen Schriftsteller, Professoren, Akademiker und Lehrer freiwillig den nationalsozialistischen Führungsanspruch über Europa und den Verzicht auf die innere politische Freiheit gutgeheißen haben, ohne auch nur an eine wirksame innere Emigration zu denken, der wird Thomas Manns Gedanken über Deutschland und die Deutschen nicht ohne Gewinn an Erkenntnis und Einsicht in die tieferen geistigen Zusammenhänge unserer »unbewältigten Vergangenheit« studieren. Er wird daraus auch entnehmen, daß mit der Zerschlagung des Nationalsozialismus noch nicht automatisch eine Wandlung des Wesens der deutschen Innerlichkeit verbunden war, so daß die politische Gesundung Deutschlands nicht etwa das Ergebnis eines schematischen Entnazifizierungsverfahrens sein konnte. Vielmehr handelt es sich auch heute noch darum, die Synthese mit dem westlichen Naturrechtsdenken zu vollziehen. Wir sind ohne Frage auf dem Wege dazu. Die Nachkriegsentwicklung hat dem Wiederaufbau des nationalstaatlichen Denkens und der nationalstaatlichen, in der Spannung von Hegemonie und Gleichgewicht balancierenden Politik keine übergroßen Chancen mehr gegeben, aber auch im deutschen Geistesleben selbst sind durch die Schrecken der totalen Ideologisierung im Nationalsozialismus die Abwehrhaltungen der Ernüchterung und der ideologischen Immunität stärker geworden.

Wenn dies alles nicht ausreichte, um Thomas Manns Befürchtungen für die deutsche Zukunft ganz zu zerstreuen, so darum, weil er nach dem gräßlichen Leiden an Deutschland, das er während der nationalsozialistischen Zeit durchgemacht hatte, mit zu großen Hoffnungen und zu utopischen Erwartungen auf eine grundlegende Änderung der Welt gesetzt hatte, und weil der Gang der Weltpolitik und die durch ihn beförderte innerdeutsche Entwicklung tatsächlich keine ausreichende Gewähr dafür zu bieten schienen, daß ein von den Lasten seiner politischen und geistigen Vergangenheit freieres, zu brüderlicher Gemeinschaft mit den anderen Nationen offenes Deutschland sich gestaltete.

Thomas Mann hatte mit Franklin Roosevelt und den amerikanischen »Liberals« größte Erwartungen in die Organisation der Vereinten Nationen gesetzt. Er war der Hoffnung, diese Institution könnte die politischen Gegensätze in der Welt vermindern und die Vorstufe zu einem vernunftgeleiteten Weltstaat als Einheit der ganzen Menschheit bilden, den er für die vollkommenste Regierung der Zukunft im Zeichen eines sozialen Humanismus hielt. Statt dessen gerieten die einstigen Alliierten, nicht zuletzt über die Lösung der Deutschlandfrage, in einen immer unversöhnlicheren Gegensatz, der zur Herausbildung zweier drohend gegeneinander stehender Machtblöcke führte und die Welt als Einheit in die Bipolarität einer Machtverteilung zwang, deren Labilität dank einer neu entwickelten furchtbaren Waffentechnik die Gefahr eines noch verheerenderen dritten Weltkrieges nie ganz aus dem Gesichtskreis der Menschen zu verbannen vermochte.

Die neue Lage, in der Koreakrise erschreckend sichtbar geworden, hatte ihre Rückwirkungen auch auf Deutschland. Schon 1949 hatte das Scheitern einer gemeinsamen Besatzungspolitik für die vier Zonen, in die man das Deutsche Reich nach vorläufiger Abtrennung einiger Provinzen aufgeteilt hatte, zur Bildung zweier verschiedener deutscher Staaten geführt, von denen die Bundesrepublik unter der Protektion der westlichen, die Deutsche Demokratische Republik unter der Herrschaft der sowjetischen Besatzungsmacht standen. Es war nicht die Teilung Deutschlands allein, die Thomas Mann schmerzte; was ihn bedrückte, weil es seiner Meinung nach den reaktionären Kräften in der Bundesrepublik wiederum Spielraum gab, war die unter dem Druck seines eigenen Gastlandes betriebene Remilitarisierung Deutschlands. Er war mißtrauisch einer neuen deutschen Armee gegenüber, wie es viele andere Intellektuelle in Deutschland damals auch waren. Er fürchtete ein wenig das Interesse der Großindustrie an einer neuen Rüstung, weil er sich nicht ganz sicher war, ob jene geballte Wirtschaftsmacht, die auch mitgeholfen hatte, Hitler in den Sattel der totalitären Macht zu heben, von neuem Geiste und neuer Gesinnung durchdrungen sei. Kurz, er sah in der Bundesrepublik zu viele Keime aus derselben Wurzel wachsen, aus der wenige Jahre zuvor seiner Meinung nach das faschistische Unheil ins Kraut geschossen war. So wurde er auch in der Nachkriegszeit von neuem zum Warner und Mahner. Er warnte vor dem Wiederaufleben faschistischer Tendenzen, und man kann nicht sagen, daß er sich die Symptome für solche Tendenzen aus seinen Fingern gesogen hätte. Er mahnte den Westen insbesondere, die antibolschewistische Haltung gerade bei den Deutschen nicht wieder zum Nährboden eines Faschismus im neuen Gewande werden zu lassen. Als schließlich selbst das von ihm so verehrte Gastland der Demokratie, die Vereinigten Staaten, zeitweilig dem Rausch einer antikommunistischen Psychose verfiel und allzu beflissene Anwälte der Demokratie unter Führung des Senators McCarthy die Loyalität einer Elite von Mitbürgern in stärkste Zweifel zogen, da fühlte er sich auch in seiner neuen Heimat des Friedens und der Ruhe beraubt. Dies umso mehr, als auch er selbst zunehmend in den Verdacht geriet, die »kommunistische Weltgefahr« zu bagatellisieren und vor den Machthabern des Ostens Kotau zu machen, so wie man ihm einst in der Weimarer Zeit vorgeworfen hatte, er hofiere den Fronvögten des Rheinlandes.

Zweifellos hatte sich in Thomas Manns Augen die Welt nach dem Kriege nicht so entwickelt, wie er das erhofft hatte. Die Angst vor dem Bolschewismus schien selbst die so feste und traditionsstarke Demokratie der Vereinigten Staaten faschistischen Tendenzen zugänglich zu machen, und auch die Wiedergenesung Deutschlands, dessen produktive geistige und wirtschaftliche Anlagen er im Rahmen einer europäischen Staatenföderation am fruchtbarsten sich entfalten sah, nahm nicht ganz den erhofften Verlauf. Die letzten Jahre seines Lebens, die er in der Schweiz verlebte, waren jedoch für ihn politisch ruhigere Jahre, wenn auch sein Wirken als politischer Schriftsteller damit noch nicht beendet war. Ruhiger waren sie nur im Vergleich mit den heftigen Auseinandersetzungen, denen sich Thomas Mann zwischen 1945 und 1952 in Deutschland und auch Amerika ausgesetzt gesehen hatte. In Deutschland ging es zunächst um die Möglichkeit seiner Rückkehr in die verwüstete alte Heimat. Von Schriftstellerkollegen, die im Dritten Reich verblieben waren, wurde er bald nach Kriegsende gebeten, zurückzukehren. Als er sich dieser Bitte mit ausführlichen Erklärungen verweigerte, hatten viele Deutsche erneut Gelegenheit, sich zustimmend wie polemisch, politisch wie moralisch über Thomas Mann zu äußern. Die Auseinandersetzung zwischen Thomas Mann und den Deutschen trieb einem neuen Höhepunkt zu.

─── 13 ───

Die »inneren« Emigranten gegen den »äußeren«

Kurz nach Beendigung des Zweiten Weltkrieges schrieb Walter von Molo, der mit Thomas Mann aus Tagen gemeinsamer Arbeit in der Deutschen Dichterakademie bekannt war, einen Brief nach Kalifornien.[149] Darin bat er Thomas Mann inständig, er möge bald zurückkommen, in die von »Gram durchfurchten Gesichter schauen«, den leidenden Menschen wieder den Glauben an die Gerechtigkeit zurückgeben, da man (gemeint ist wohl die Behandlung der Deutschen durch die Besatzungstruppen) nicht pauschal die Menschheit zertrennen dürfe, wie es so grauenvoll in Deutschland geschehen sei. Von Molo erneuert seine Bitte in jedem weiteren Absatz des Briefes, spricht von der notwendigen Herausstellung des Gemeinsamen und Verbindenden, vom Abbau des Hasses und von der Notwendigkeit, den Deutschen wieder zum Vertrauen zu helfen, sie nicht durch Enttäuschungen und Demütigungen von neuem krank werden zu lassen. Thomas Mann solle darum bald kommen, um seinem Volke mit Rat und Tat beizustehen.

Walter von Molo läßt durchblicken, daß Thomas Manns Rat und Tat vor allem gegenüber den Praktiken der Besatzungsmächte erwünscht sei. Ihnen solle er sagen, daß Haß und pauschale Herabsetzung eines ganzen Volkes, das mit seinen Führern identifiziert werde, nicht am Platze seien, wenn die Menschheit auch fürderhin noch Vertrauen in die Zukunft fassen solle.

Frank Thieß sekundierte dem Vorstoß von Molos mit einem Artikel über die »innere Emigration« in Deutschland.[150] Bezeichnend für seinen Aufsatz ist die Höherwertigkeit, die er der inneren Emigration gegenüber der äußeren zuerkennt, zumal

Thieß selbst sich zur inneren Emigration zugehörig fühlt. Zwar gibt Thieß zu, daß für die meisten äußeren Emigranten Tod oder Leben vom Entschluß zur Emigration abhingen, aber er ist gleichwohl überzeugt, daß es schwer war, sich inmitten des Dritten Reiches seine Persönlichkeit zu bewahren, als »von drüben Botschaften an das deutsche Volk zu richten«, denen sich die Wissenden im Lande ohnehin immer voraus gefühlt hätten. Frank Thieß unterstellt, daß Thomas Mann die inneren Emigranten vergessen hätte, was – wir wiesen weiter oben darauf hin, – nicht den Tatsachen entspricht. Nun aber, so fordert er, sollten alle Feinde des Nationalsozialismus zusammenstehen und für das kommende geistige Leben in Deutschland ihren Beitrag leisten. Sie, die inneren Emigranten, erwarteten keine Belohnung dafür, daß sie bei ihrer kranken Mutter Deutschland ausgeharrt hätten. Es müßte ihnen jedoch unnatürlich erscheinen, wenn Männer wie Thomas Mann heute nicht den Weg zurückfänden und erst einmal abwarten wollten, ob das gegenwärtige Elend Deutschlands zu neuem Leben oder zum Tode führe.

Noch einen anderen Vorzug sieht Frank Thieß im inneren Emigranten: Er habe durch sein Verbleiben im Lande mehr für seine geistige und menschliche Entwicklung gewonnen, als wenn er von den Logenplätzen des Auslandes der deutschen Tragödie zugeschaut hätte.

Sprach Walter von Molo aus Gewissensnot über die in Deutschland nach der Kapitulation herrschenden Zustände, so enthielt Frank Thießens Beitrag eine Reihe von Bosheiten, die vor allem auf Thomas Mann selbst gemünzt waren, zumal er der repräsentative Sprecher der äußeren Emigration war. Sie sollten noch unverhüllter hervortreten, als Frank Thieß sich zu der Antwort äußerte, die Thomas Mann an Walter von Molo gerichtet hatte.

Diese Antwort – ein umfängliches Schreiben[151] – begründet eingehend seinen Entschluß, vorerst nicht nach Deutschland zu kommen. Thomas Mann gibt die Geschichte seiner Emigration, die Geschichte äußerer und innerer Beunruhigung bis zu dem glücklichen Zeitpunkt, da Amerika ihn aufnahm. Er habe darum einigen Grund, diesem Lande dankbar zu sein, Grund auch, sich ihm dankbar zu erweisen. Er sehe auch nicht, wie er dem deutschen Volke in Deutschland anders dienen könne, als er das auch von Kalifornien aus zu tun in der Lage sei. Warum solle er nicht die Vorteile seines jetzigen Lebens genießen, nachdem er die Nachteile seines seltsamen Loses bis zur Hefe gekostet habe? Schließlich sei dies alles ja nicht seine eigene Veranstaltung gewesen, sondern ein Ergebnis des Charakters und Schicksals des deutschen Volkes. Auch fürchte er die Trümmer und vor allem die Wiederbegegnung mit jenen, die mitgetanzt und Herrn Urian aufgewartet hätten. Die rührenden, von verschwiegener Anhänglichkeit zeugenden Briefe, die er jetzt erhalte, verrieten zugleich eine gewisse Ahnungs- und Gefühlslosigkeit, denn sie sprächen so, als seien die schrecklichen zwölf Jahre der Hitler-Herrschaft gar nicht gewesen. Die Lektüre einer alten Nummer der von Ernst Krieck, dem Nazi-Philosophen und -Pädagogen, herausgegebenen Zeitschrift »Volk im Werden«, der er sich gerade gewidmet habe, ließe die beklemmende Frage in ihm aufsteigen, ob unter Leuten, die jahrelang mit solchen ideologischen Drogen gespeist worden seien, noch gut leben sei. Sicher würde er viele gute und treue Freunde in Deutschland finden, aber auch viele lauernde Feinde.

Wie richtig solche Vermutung war, bewies der weitere Gang der Auseinandersetzung um Thomas Mann. Sein Brief an Walter von Molo war z. T. gekürzt und dadurch in seinem Gesamtcharakter sinnentstellt in die Presse gelangt, und die Empörung und Entrüstung über gewisse Passagen ergriff manches deutsche Gemüt. Taktvoll und doch bestimmt war die Entgegnung, die Wilhelm Hausenstein in der »Süddeutschen Zeitung«[152] der Behauptung Thomas Manns zuteil werden ließ, daß Bücher, die zwischen 1933 und 1945 in Deutschland überhaupt gedruckt werden konnten, weniger als wertlos und nicht gut in die Hand zu nehmen seien, da ihnen ein Geruch von Blut und Schande anhafte. Wir haben es hier mit einer Anmerkung Thomas Manns zu

tun, die das Wesen des totalitären Staates und seiner Vergewalti-
gung des Geistes sehr wohl trifft, aber dennoch die Wirklichkeit
übersieht, die trotzdem in Deutschland Bücher entstehen ließ,
die nicht von Nazigeist durchtränkt waren, wenn es sich auch fast
nur um unpolitische Werke belletristischen oder philosophisch-
religiösen Charakters handelte.

Weniger taktvoll indessen gebärdete sich Frank Thieß, der
nicht ohne theatralische Geste seinen »Abschied von Thomas
Mann«[153] verkündete, wobei ihn das Mißgeschick, sich einer ver-
kürzten Version des Briefes an von Molo bedient zu haben, wenig
entschuldigt. Hier wird nun deutlicher, was ihm schon bei seinem Traktat über die »innere Emigration« auf der Zunge gelegen: Er redet von Thomas Manns »weich gepolsterter Existenz in
Florida« (sic), spricht ihm die Zugehörigkeit zum deutschen
Schrifttum ab, da ein Dichter nicht jahrzehntelang ungestraft die
Luft eines fremden Kontinents atmen könne. Und er wiederholt
übelste völkische Gemeinplätze, wenn er dem deutschen Volk gegenüber Thomas Mann die untrügliche Witterung dafür zutraut,
ob jemand fremd oder ihm zugehörig sei.

Die zürnenden Verweise Thomas Manns, so meint er, verrieten nichts mehr von Liebe zu seinem verirrten Volk. Thieß
erinnert den an einer »herrlichen, zukunftatmenden Küste«
(Thomas Mann) Wohnenden an das Leid von 30 Millionen
Deutschen, die alles verloren haben, an »die unsägliche Hölle
von Leid und Grauen« im deutschen Osten und zweifelt füg-
lich an Thomas Manns Versicherung, daß er noch immer in
deutscher Tradition lebe und webe. Töricht nennt er Thomas
Manns Meinung, die gesamte deutsche Intelligenz hätte sich
gegen den Nationalsozialismus erheben müssen, und rechnet
ihm, ausgerechnet ihm, vor, daß Hunderttausende von Deutschen in Konzentrationslagern gemartert worden seien, wobei er
sein eigenes Schicksal als Verfolgter (wiewohl Thieß in den Monaten der Machtbefestigung des NS-Regimes nicht gezögert
hatte, die neue Herrschaft zu feiern) gebührend in den Vordergrund rückt.

So gelte es denn wieder einmal Abschied zu nehmen, schließt der taktlose Briefschreiber lakonisch. »Was uns zu neuen Ufern tragen, was uns aus unserer Not und unserer Reue, unserer Angst und unserer Unwissenheit hinausführen wird in ein neues Hoffen und eine neue Gewißheit unzerstörbaren inneren Wertes, das kann keine Botschaft eines in deutscher Sprache schreibenden »amerikanischen Weltbürgers«, das kann nur Frucht aus der blutigen Saat deutschen und europäischen Leidens sein.«

Die Kontroverse, an welcher die deutsche Öffentlichkeit regen Anteil nahm, war damit noch nicht beendet. Thomas Mann, von der BBC aufgefordert, seine Gründe für sein Zurückbleiben in Amerika noch einmal darzulegen, verwandte ein letztes Mal die vertraute Anrede: »Deutsche Hörer!«[154] Er bekräftigt seinen Entschluß, nicht nach Deutschland zurückzukehren, um zum Bannerträger einer ihm ganz schleierhaften neudeutschen geistigen Bewegung zu werden. Er vermutet irgendeine Tücke hinter dem von Walter von Molo gewiß gutgemeinten, von Thieß wohl ein wenig tückisch konzipierten Vorschlag. Er weist mit Recht darauf hin, daß alles anders aussähe, wäre es den Deutschen selbst gelungen, sich von der Naziherrschaft zu befreien. Nun werde er aber von allen Deutschen belehrt, daß es einem hochstehenden 70-Millionen-Volk nicht möglich gewesen sei, sich eines Regimes blutiger Halunken zu entledigen. Und seine Radioreden, so versichere ihm Frank Thieß, hätten auch nichts vermocht. Wenn diese Ansprachen aber in dessen Augen sinnlos verlorene Liebesmüh gewesen seien, wie sollten gerade sie ihn dann verpflichten, nach Deutschland zurückzukehren? Man erwarte offenbar von ihm, er solle gegen die jetzigen Leiden Deutschlands protestieren, aber gerade dies könne er nicht. Er habe als Deutscher zu Deutschen sprechen können, um sie vor der nahenden Nemesis zu warnen, aber als Deutscher habe er selbst teil an der Gesamtschuld, die dieses Volk auf sich geladen, und es stehe ihm nicht zu, an der Politik der Sieger Kritik zu üben.

Es habe ihm schon lange vor den Bergen von Haß gegraut, die sich bis Kriegsende rings um Deutschland aufgetürmt hätten.

Das entmenschte Tun der Nazis hätte auf die Deutschen zurückschlagen müssen, wobei leider nicht nach individueller Gerechtigkeit verfahren werde. Er jedenfalls habe unter dem Elend der von Deutschland mit Füßen getretenen Nationen ebenso gelitten, wie er Deutsche und Deutschland Unglück leiden sah. Heute sei alles Nationale längst Provinz geworden, und wenn ihm heute diejenigen zuriefen, welche 1933 zu Hause bleiben mochten, weil sie gegen das heraufziehende Unheil nie den Mund aufgetan hätten, so müsse er dagegen sagen, ihm habe die Fremde wohlgetan. *Man gönne mir mein Weltdeutschtum, das mir in der Seele schon natürlich, als ich noch zu Hause war, und den vorgeschobenen Posten deutscher Kultur, den ich noch einige Lebensjahre mit Anstand zu halten suchen werde.*

Wiederum antwortete der in der Rundfunkansprache ausdrücklich apostrophierte Frank Thieß.[155] 67 Minuten ließ er sich Zeit, nachdem er Thomas Manns Rede gehört hatte, dann stellte er sich selbst ans Mikrophon. Er begann mit einer artigen Verneigung vor »dem großen Schriftsteller deutscher Zunge, der Thomas Mann heißt«. Dann jedoch unterschiebt er ihm sofort, daß sein in der BBC-Ansprache noch einmal anklingender Haß gegen den Nationalsozialismus in Wahrheit ein Haß gegen Deutschland sei. Thomas Mann fürchte Deutschland und nicht die Nazis, die es noch in ihm geben könne. Und sähe er gar sein Volk, »das nun so hilflos am Boden liegt wie nie zuvor in seiner tausendjährigen Geschichte«, so würde er sich vielleicht fragen, ob dieses »irregeführte, verratene, schreckliche und große Volk« es verdient habe, daß er noch heute die Pfeile seines Zorns in seine Wunden schieße, und vielleicht würde er es auch schmerzlich bereuen, sein Volk als Ganzes verurteilt zu haben. Wenn Thomas Mann sage, er habe sein deutsches Erbe mit nach Amerika genommen, so könne er, Frank Thieß, nur darauf erwidern, daß aus seinen Worten davon nichts zu spüren sei.

Und dann kommt die bösartigste aller Stellen, jene Passage, in welcher Thieß den »armen Thomas Mann« bemitleidet, weil er zu seinen Gunsten (!) annimmt, daß Thomas Manns anklagende und böse Sprache gegen seine Landsleute doch nur die Folge seines Schmerzes, seiner Einsamkeit und Verlassenheit seien. Die »Segnungen der inneren Emigration« hatten ihm offensichtlich gefehlt. »Wir, die wir alles erlebten, können es verstehen, er konnte es drüben nicht.

Und so spricht er zu uns aus einer unendlichen Ferne, die nur noch Worte zu übertragen vermag, deren Bitterkeit und Überheblichkeit uns nicht einmal mehr verletzt, weil sie unedel sind und in ihnen nicht mehr das Herz des Dichters schlägt.«

Angesichts solch böswilliger Attacken läßt sich nun auch die Tagebucheintragung Thomas Manns verstehen, die in seinem Buch über die »Entstehung des Doktor Faustus« überliefert ist. Dort schreibt er: *Die Angriffe, Falschheiten, Dummheiten ermüden mich wie schwere Arbeit.*[156]

Die Leserzuschriften an deutsche Zeitungen zeigen im übrigen deutlich genug, wie sehr es Frank Thieß geglückt war, in vielen Deutschen eine Woge der Selbstbemitleidung gegenüber dem in »kalifornischer Behaglichkeit« lebenden Thomas Mann hochzuspülen. Man hatte vergessen oder nie zur Kenntnis nehmen wollen, daß Thomas Manns Ansprachen an die deutschen Hörer allein auf der Voraussetzung aufgebaut waren, daß das deutsche Volk nicht mit den Naziführern identisch sei; man wollte nicht wahrhaben, was es für den einzelnen Emigranten bedeutet hatte, aus dem Lande seiner Väter und seiner Muttersprache vertrieben zu werden und als Ausgebürgerter ohne brauchbare Papiere in der zunächst mißtrauischen freien Welt einen Unterschlupf suchen zu müssen. Man nahm nicht zur Kenntnis, daß die Leiden des deutschen Volkes nach dem Kriege einen Vergleich mit den Leiden der von den Deutschen besetzten Völker, insbesondere Polens und Rußlands, von den Juden ganz zu schweigen, während des Krieges kaum auszuhalten vermochten. Allzuviele fühlten sich plötzlich als Partner und Leidende der inneren Emigration, von der Frank Thieß deutlich genug gerühmt hatte, daß sie der äußeren Emigration an Wert überlegen sei. Schon damals also, wenige Monate nach der Niederlage, waren Emigranten suspekt, die nicht unmittelbar nach dem Kriege heimwehsüchtig an die Brust ihres Volkes eilten, sondern sich überlegten, ob sie in dem Land, in dem sie schließlich eine freundliche Bleibe und ihr Auskommen gefunden, nicht bis zum Ende ihrer Tage verweilen sollten.

Was immer man gegen einzelne Stellen und Formulierungen aus Thomas Manns Antwort an von Molo und aus der Rundfunkansprache zum gleichen Thema vorbringen mag: Die Kritik, die Frank Thieß unter dem Beifall vieler Deutscher daran übte, hat keinen Bestand und richtet sich selbst. Thomas Mann hatte in aller Redlichkeit dargetan, warum er zögere, nach Deutschland zurückzukehren, und es waren auf jeden Fall respektable Gründe, auch wenn viele andere Emigranten nicht so denken mochten und den »nächsten Zug nahmen«, wie Erich Kästners »Betrachtungen eines Unpolitischen« es von Albert Bassermann berichteten, – in einem Artikel, worin Kästner zugleich den ganzen Streit als ein »tragisches Mißverständnis« erklärte, das er satirisch durchhechelte.[157] Thomas Mann hatte immerhin Walter von Molo in seinem Antwortschreiben zu verstehen gegeben, daß er einem Besuch Deutschlands nicht für immer entsagen wolle, und den Brief mit einem *Auf Wiedersehen also, so Gott will,* geendet.

Das Wiedersehen mit Deutschland fiel in das Jahr 1949, als der Dichter zum 200jährigen Goethejubiläum den Goethepreis der Stadt Frankfurt entgegennahm und dort eine große Rede hielt, die er wenig später an Goethes Wirkungsort, in Weimar, wiederholte.[158]

Zwei Sommer zuvor schon hatte Thomas Mann jedoch europäischen Boden betreten, seinen Fuß allerdings nicht nach Deutschland gesetzt. In jenen Tagen war es, als die zweite Woge entrüsteter und leidenschaftlicher Auseinandersetzung um Thomas Mann durch Deutschland ging. Sie wurde in Bewegung gesetzt durch einen anderen deutschen Schriftsteller, durch Manfred Hausmann. Thomas Mann hatte auf seiner Reise zu einer Tagung des internationalen PEN-Clubs in Zürich Station in England gemacht und dort verschiedene Interviews gegeben, in deren Mittelpunkt naturgemäß seine Einstellung gegenüber Deutschland stand. Der Dichter gab zu verstehen, daß er Deutschland nicht jetzt, jedoch später einmal besuchen wolle, wenn sich die Gemüter dort mehr beruhigt und geklärt hätten und mit den Deutschen besser zu reden sein werde. Unter dem Eindruck dieser und anderer Erklärungen schrieb Hausmann im Bremer »Weserkurier« einen Artikel[159], in dem er versicherte, von einem Brief Thomas Manns an den nationalsozialistischen Innenminister Frick aus dem Jahre 1933 Kenntnis zu haben, in welchem Thomas Mann aus seinem Schweizer Exil dringlich darum gebeten habe, nach Deutschland zurückkehren zu dürfen: »Der Brief wurde nicht beantwortet, und so mußte Thomas Mann gegen seinen Willen das Dritte Reich meiden. Damals wäre er also gern ins Hitlersche Deutschland zurückgekehrt, aber er durfte es nicht. Heute könnte er zwar in das armselige und unglückliche, aber einigermaßen demokratische Deutschland zurückkehren, aber er will es nicht.« Diese Unterstellung erbitterte den in der Schweiz weilenden Thomas Mann sehr, und er wandte sich in einem offenen Brief an Hausmann[160], er möge das angezogene Schreiben in seiner Gänze veröffentlichen, anstatt mit einer offensichtlich gefälschten Inhaltsangabe hausieren zu gehen. Er sei gewiß, daß ihm ein solches Dokument aus dem Jahre 1933 nicht zu Unehre gereichen werde. Auch wisse er nicht, warum Hausmann ihm mit dieser sinnlosen Denunziation in den Rücken falle.

Der betreffende Brief ging wenige Wochen später durch die Zeitungen.[161] Hausmann hatte sich kläglich bloßgestellt, denn obwohl in diesem Brief an das Innenministerium (nicht an Frick) die Bitte ausgesprochen war, man möge ihm seinen Paß erneuern, war von einem Verlangen Thomas Manns, nach Hitler-Deutschland zurückzukehren, nicht die Rede. Im Gegenteil. Eine ausführliche Darstellung seiner politischen Entwicklung zeigt ihn als den ungebrochenen Verfechter deutscher Humanität gegen die geistfeindlichen Tendenzen des neuen deutschen Staates. Thomas Mann nimmt die Emigration als eine *vom Schicksal verordnete Episode* ausdrücklich auf sich. Noch bevor das bedeutsame politisch-biographische Dokument publiziert wurde, äußerte sich Hausmann selbstsicher zu dem Offenen Brief, den Thomas Mann an ihn gerichtet hatte[162], und wiederholte das alte Märchen, daß es einem Fernstehenden ganz unmöglich gewesen sei, das Schicksal des deutschen Volkes nach 1933 zu begreifen. Wäre Thomas Mann 1945 zurückgekommen, so wäre es nach Hausmann noch möglich gewesen, die Entfremdung zu beseitigen und die aufgetretenen Mißverständnisse zu beheben. Statt dessen habe er fortgefahren, den Deutschen Vorwürfe zu machen, und darum hielte er, Hausmann, es für richtig, ihn an eine eigene Schwäche, nämlich den Brief an Frick, zu erinnern. Jenen Brief, der die erschütternde Anhänglichkeit Thomas Manns an Deutschland verrate, könne jedermann verstehen. Nicht verstehen könnten viele hingegen die Worte Thomas Manns aus der letzten Zeit.

Obwohl die Anklage Hausmanns angesichts des gefundenen Schriftstückes in nichts zerfiel, beharrte er taktloserweise auf der Version[163], Thomas Mann hätte sich damals, wenn auch unwillig, mit dem System abgefunden und wäre gern zu einem ihm günstigen Zeitpunkt zurückgekehrt. Und dann folgt jene von geistiger Unsauberkeit zeugende Stelle, in welcher Hausmann seinen literarischen Gegner belehrt, daß er nicht das Recht habe, jene Schriftsteller zu verurteilen, die nach 1933 ähnlich gedacht hätten wie er zur Zeit seiner »Betrachtungen«. Hausmann schien jeden historischen Zeitsinn verloren zu haben.

So ging Thomas Manns moralische Autorität auch aus diesem Angriff unbeschädigt hervor, wenngleich das Echo der neuerlichen Auseinandersetzung wiederum zeigte, daß nicht wenige Deutsche sich mit der politischen Figur Thomas Mann noch längst nicht versöhnt hatten. Die alten Klischees aus der Weimarer Zeit kehrten in Glossen und Leserzuschriften der Tagespresse wieder. Thomas Mann solle seine Finger von der Politik lassen, denn davon verstehe er nichts. Andere warfen ihm vor, ohne auch nur einen Deut einer Ahnung zu besitzen, er habe vor 1933 seinen Mund nicht aufgetan, darum solle er auch jetzt schweigen, oder: er habe kein Recht, Deutschland zu verurteilen, da er während der zwölf Jahre in Deutschland nicht »durchgehalten« habe; wieder andere glaubten ihm »mehr Takt, Herr Mann!« empfehlen zu sollen.

Was im politischen Alltag der Bundesrepublik im Wahljahr 1961 unter dem Stichwort Emigrantenhetze aufstand, das war damals in vielen Stellungnahmen gegen Thomas Mann schon bestens vorgebildet. Man könnte daraus folgern, daß die Verunglimpfung des durch den Nationalsozialismus geschaffenen Emigrantentums im Jahre 1961 keine allzu günstigen Rückschlüsse auf die vielbeschworene »Bewältigung der deutschen Vergangenheit« zuläßt. Jenes selbstbewußte »Wir wissen, was wir drinnen gemacht haben«, welches einem hochgestellten Politiker unseres Landes (Franz Josef Strauß) den kräftigen Beifall seiner Parteigenossen eintrug, entspricht genau der Air stolzer Überheblichkeit, die manche dem in die Emigration verschlagenen Dichter gegenüber zur Schau trugen, nur weil sie es für ein Zeichen besonderer Reife und Qualität ansahen, die zwölf Jahre mit- bzw. durchgemacht zu haben.

14

Zwischen den Stühlen

Die damals noch weithin das Licht der öffentlichen Diskussion scheuende kritische Einstellung vieler Deutscher gegenüber Thomas Mann als politischem Schriftsteller hätte sich im Hinblick auf Thomas Manns Haltung gegenüber Deutschland nach der nationalsozialistischen Katastrophe vorwiegend auf Ressentiments und fragwürdige weltanschauliche Haltungen gründen müssen. Sie erfuhr jedoch indirekt eine Verstärkung durch die mit dem Jahre 1949 in Deutschland und andernorts aufkommende Diskussion um die angebliche prokommunistische Einstellung des Dichters. Damit war ein zusätzliches Moment in die Auseinandersetzung gelangt, welches eher dazu angetan war, berechtigte Zweifel in die politische Klarsicht Manns zu setzen. Dies um so mehr, als er in diesem Punkte auch bei seinen amerikanischen Mitbürgern und von seiten erklärter Antifaschisten in Deutschland auf Widerspruch und Kritik stieß. Der Anstoß für die beginnende Diskussion um Thomas Manns Affinität zum Kommunismus war sein Entschluß, die in Frankfurt anläßlich des 200. Geburtstages zu Ehren Goethes gehaltene Ansprache auf Einladung der Regierenden der DDR in Weimar, also im Bereich der sowjetisch besetzten Zone, zu wiederholen. Trotz aller Proteste, die in der Bundesrepublik dagegen laut wurden, ist Thomas Mann nach Weimar gefahren. Er empfand seinen Besuch dort nicht als Verbeugung vor den kommunistischen Machthabern, sondern als Dienst an Gesamtdeutschland. *Wer sollte die Einheit Deutschlands gewährleisten und darstellen, wenn nicht ein unabhängiger Schriftsteller, dessen wahre Heimat die freie, von Besatzungstruppen unberührte deutsche Sprache ist?*[164]

Thomas Manns Rückkehr nach Deutschland, um die im westlichen Teil unseres Landes so viel Widerstreit entstanden war,
sollte nach seinem Willen dem deutschen Vaterland als Ganzem
gelten. Doch mit dieser Absicht entfachte er nur neue Auseinandersetzungen: Die »Gesellschaft zur Bekämpfung der Un-
menschlichkeit« forderte ihn auf, seinen Weimarer Staatsbesuch
mit einer Visite des nahe gelegenen Konzentrationslagers Buchenwald zu verbinden, in welches die Machthaber der sowjetischen Besatzungszone einen Teil ihrer politischen Häftlinge
verbracht hatten. Eugen Kogon, der Verfasser des berühmten
»SS-Staates«, in nationalsozialistischen Zeiten selbst KZ-Häft-
ling in Buchenwald, stellte Thomas Mann vor die Alternative:
»Sie müßten sich wohl vorher entscheiden, was Ihnen richtiger
erschiene, die Freundschaft der 12 000 (Häftlinge in Buchenwald) und der Haß der Machthaber, oder der Haß der Gefange-
nen und die Freundschaft der Machthaber«.[165]

Thomas Mann stellte seinen selbstgewählten Auftrag, als ge-
samtdeutscher Dichter zu wirken und die Bevölkerung der Zone
nicht »links liegen zu lassen«, über die Forderung Kogons und
anderer. Er erklärte vor seiner Abreise, es sei unmöglich, im Rahmen dieses Besuches Forderungen zu stellen, welche die einla-
denden deutschen Behörden nicht erfüllen könnten.[166] Damit
hatte er freilich recht. Wenn man sich überhaupt schon ent-
schloß, die Ostzone zu besuchen, und Thomas Mann hielt es für
wichtig, dann konnte man als geladener Gast schlecht Forderungen erheben, deren Erfüllung die Gastgeber in Verlegenheit hätte
stürzen müssen. So beließ er es hinsichtlich Buchenwalds bei artigen Nachfragen über das Schicksal der dort Inhaftierten und
mußte sich wohl oder übel mit den verharmlosenden Auskünf-
ten abfinden, die man ihm erteilte.[167]

Die Regierung der Ostzone hatte alles Erdenkliche aufgebo-
ten, um Thomas Mann würdig zu empfangen. Er empfing
aus der Hand des Dichterkollegen und Kultusministers Johannes
R. Becher den Goethepreis und ließ sich zum Ehrenbürger der
Goethestadt Weimar ernennen. Auf seiner Fahrt durch Thü-

ringen grüßten Fahnen, Girlanden, Blumen und Spruchbänder den hohen Gast. Singende und Beifall spendende Schulkinder säumten die Straßen, Blasmusiken zogen auf und tönten zu Ehren des Dichters. Kein Zweifel, daß Thomas Manns Empfang in Weimar weit effektvoller und für den Dichter sympathischer inszeniert worden war als die vorausgehende Ankunft in Frankfurt.

Thomas Mann ließ es sich allerdings auch vor dem Forum des Weimarer Nationaltheaters nicht nehmen, von seiner Hoffnung auf die künftige Solidarität aller Völker zu sprechen und zu betonen, daß über allen Unterschieden in den politischen und kulturellen Erscheinungen zwischen Ost und West doch die Erkenntnis zu stehen habe, *daß gewisse schwer erkämpfte und unveräußerliche Errungenschaften der Menschheit wie Freiheit, Recht und Würde des Individuums, dabei nicht untergehen dürfen, sondern daß sie aufgenommen, teuer und heilig bewahrt und in die Zukunft mit überführt werden müssen.*[168]

Im übrigen schmeichelte ihn der generöse Empfang, den die Ostzone ihm bereitete, nicht wenig, und es hat den Anschein, als habe ihm die staatlich gesteuerte Reverenz des Ostzonenpublikums damals mehr behagt als die umstrittene gastliche Aufnahme in der Bundesrepublik.

Es gibt einen Brief Thomas Manns an einen schwedischen Journalisten namens Olberg[169], in dem deutlich zum Ausdruck kommt, daß Thomas Mann seinen Besuch in Weimar und die Verhältnisse in der Zone mit anderen Maßstäben beurteilte als ein großer Teil der westlichen Politiker und Intellektuellen. Das Schreiben enthält einige Bemerkungen, die erkennen lassen, wie sehr sich Thomas Mann durch eine freundlich aufgeputzte Fassade über die wahren Verhältnisse hat täuschen lassen. So belehrt er den nordischen Zeitungsmann, daß es sich in Thüringen um kein reines Einparteienregiment handele. Er übersieht dabei die Wirkung des sogenannten Blocksystems, das der SED als herrschender Partei die Macht trotz der zum Schein demokratischer Legitimierung vorgenommenen Zulassung anderer politischer

Gruppen sichert. Er gibt zu, daß der autoritäre Volksstaat seine schaurigen Seiten habe, aber er bringe wenigstens die Wohltat mit sich, daß Dummheit und Frechheit endlich einmal darin das Maul zu halten hätten.

Diese für einen freiheitlichen Demokraten merkwürdige Auffassung erwuchs ihm aus seinem persönlichen Erfahrungsbereich. Thomas Mann ist in Westdeutschland von »schmutzigen Schmähbriefen und blöden Schimpfartikeln« nicht verschont worden. Sie waren die Kehrseite jener Freiheit, deren man sich unentwegt rühmte, als man Thomas Mann einen Vorwurf daraus machte, daß er in das Land der Unfreiheit fahre und dadurch das dortige Regime sanktioniere. Im Westen, so schrieb Thomas Mann, habe man einen unverschämten Gebrauch von dieser Freiheit gemacht; und in der Tat, liest man die Unfreundlichkeiten und Ungezogenheiten, die man ihm zu sagen sich erlaubte, so kann man die Empörung und den Verdruß begreifen, der sich Thomas Manns damals bemächtigte. In der Ostzone widerfuhr ihm Derartiges nicht.

Allerdings sei dahingestellt, ob dies nicht eher eine Folge der beschränkten Meinungsfreiheit als das Ergebnis einer Volkserziehung war, die, wie Thomas Mann sich ausdrückte, *eingreifender Sorge trage für Respekt vor einer geistigen Existenz wie der meinen.*

Gewalt, so führt Thomas Mann gegen Ende jenes ominösen Schreibens aus, von dessen Inhalt er später wieder abrückte, sei natürlich ein böses Ding, aber Versuche, den Sozialismus gewaltlos zu verwirklichen, hätten, wie der Fall Benesch zeige, vor der Geschichte ebenfalls keine Gunst gefunden, und auch gegen das sozialistische Experiment der englischen Labour-Regierung geschehe alles Erdenkliche. *Ich bin kein Mitläufer, aber es scheint, daß ich gescheite Kommunisten zu Mitläufern habe.*

So war es in der Tat. Thomas Mann war persona gratissima im kommunistischen Machtbereich, weil er als ein bürgerlicher Schriftsteller die Notwendigkeit der Entwicklung der Welt zum Sozialismus bejaht hatte[170], wobei man schnell genug bei der

Hand war darzutun, daß der eigene, der kommunistische Sozialismus gemeint sei.

Es fehlt nicht an Äußerungen Thomas Manns, die erkennen lassen, daß er den Sozialismus, wenn auch nicht in seiner kommunistischen Spielart, für notwendig hielt. Wir haben schon früher eingehend darauf hingewiesen[171], daß er sich zeit seines Lebens weigerte, Nationalsozialismus und Kommunismus auf eine Stufe zu stellen. Hinter den »schaurigen Seiten« des kommunistischen Experiments verbarg sich für ihn immerhin noch ein positives, nämlich geistiges Moment. Er billigte dem Kommunismus ein moralisches Recht zu seiner revolutionären Gegenstellung zu einer Gesellschafts- und Wirtschaftsordnung zu, von der er einmal sagte, daß sie durch ein *Übermaß von Merkmalen der Korruption und Verrottung den Namen ›Ordnung‹ mehr und mehr verwirkt* habe und ihm daher oft historisch verurteilt erscheine.[172] Der Kapitalismus also war nicht seine Sache. Er entsprach nicht in jeder Hinsicht seinem Ideal einer sozialen Humanität, und wenn ihm auch der Kommunismus nicht voll, ja noch weit weniger, entsprach, so meinte er doch, daß eine Synthese von Liberalismus und Sozialismus die Voraussetzung für eine Welt des Friedens, der Freiheit und des sozialen Fortschritts sein könne.

Thomas Manns Wort vom *Antikommunismus als einer Grundtorheit unserer Epoche* ist von den Kommunisten oft und gern zitiert worden. Die Formulierung war Ausfluß jener Bitterkeit, die sich seiner bemächtigt hatte, als er, der das verbrecherische Wesen des Nationalsozialismus längst durchschaut hatte, zusehen mußte, wie die Westmächte Hitler mehr trauten als Stalin. Der Nationalsozialismus oder Faschismus, sofern man die allgemeine Tendenz fassen will, war tatsächlich reaktionär, der Kommunismus schien ihm, zumindest seiner Idee und seinem Wollen nach, Elemente des gesellschaftlichen Fortschritts zu enthalten. Thomas Mann stand freilich in Gefahr, die Theorie schon für einen Teil der Praxis zu nehmen, eine Gefahr, in die Menschen leicht geraten, die das geistige Moment in den Vordergrund rücken und seine Funktion in der gesellschaftlichen Wirklichkeit zu überschätzen geneigt sind. Die allgemeinen, in freundlichem Ton gehaltenen Erklärungen Thomas Manns zum Kommunismus lassen sich auch verstehen aus seiner utopischen Hoffnung auf eine Welt sozialer Humanität und brüderlicher Solidarität der Völker. Sie werden vollends verständlich vor dem Hintergrund seiner persönlichen Erfahrungen mit dem nationalsozialistischen Regime und dem Unheil, das es über Deutschland und die Welt gebracht hatte. So untrüglich indes seine Witterung für faschistische Geistestendenzen war, sie hemmte zugleich seine Gabe, die Inhumanität des Kommunismus mit derselben Feinheit zu registrieren. Sein ganzes politisches Engagement war darauf gerichtet, den Nationalsozialismus abzuwehren, dann ihn zu geißeln, und schließlich sein Wiederaufleben für alle Zeiten unmöglich zu machen. Da er aber deutlich genug erfahren hatte, wie der Faschismus nicht zuletzt durch die Furcht des Bürgertums vor dem Kommunismus und durch dessen eigene antikommunistische Propaganda hatte wachsen und trotz all seiner Rüpelhaftigkeit und ideologischen Unzulänglichkeit in Deutschland sowie in Teilen der Welt hatte hoffähig werden können, schien ihm der extreme Antikommunismus, wie er im Zeichen des Kalten Krieges die Nationen der Freien Welt von neuem erfaßt hatte, eine Schwächung der westlichen Position selbst zu bedeuten. Nicht nur hinderte er die nahe Verwirklichung eines dauerhaften Friedens für die Welt, er erlaubte es auch den faschistischen Kräften im Westen, von neuem Luft zu schöpfen und sich breit zu machen.

Die Meinung, daß der allgemeine Antikommunismus günstige Voraussetzungen für eine Renaissance faschistischer Denkweise und Haltung biete, läßt sich kaum bestreiten. Die Bundesrepublik selbst ist dafür nicht das geringste Beispiel. Dennoch war es nur ein freundlicher Wunsch und wohl kein den Adressaten überzeugendes Argument, wenn Thomas Mann in einem längeren Schreiben dem SED-Parteisekretär Walter Ulbricht[173] auseinandersetzte, er möge es verhindern, daß durch gewisse

Praktiken in der Zone im Westen der Eindruck entstehe, als unterscheide sich die Praxis des kommunistischen Totalitarismus in nichts vom faschistischen. Der Brief, geschrieben, um bei Ulbricht um Gnade für politische Häftlinge im berüchtigten Zuchthaus Waldheim zu bitten, deren unverdientes schweres Schicksal ihm bekannt geworden war, verrät, wie Thomas Mann auch nach 1945 unter dem Zustand der Welt zu leiden hatte. Er wünschte sich einen humaneren, dem Faschismus in seinen Methoden weniger stark ähnelnden Kommunismus. Wenn man aber zulasse, so schreibt er, daß *schwache, anpassungsbedürftige Menschen* ganz *im Stile des Nazismus und seiner Volksgerichte* abgeurteilt würden, so sei dies ein Blutschauspiel für die nichtkommunistische Welt und könne nur den Erfolg haben, den Haß und die Furcht zu vergrößern und die Propaganda für die Unvermeidlichkeit des Krieges anzuspornen. Vielmehr sollte der Kommunismus alles tun, *um einem Humanismus Vorschub zu leisten und Rechtfertigung zu gewähren, der, ohne an das kommunistische Credo gebunden zu sein, sich dem militanten Anti-Kommunismus verweigert und für den Frieden einsteht.*

Es war Thomas Manns Dilemma, kein Kommunist, aber auch kein Antikommunist zu sein. Das bloße Anti – zumal seiner gefährlichen Nebenwirkungen wegen – schien ihm nicht genug. Sein Pro, sehen wir einmal ab von so schwebenden Begriffen wie soziale Humanität, war der Friede, ein klares Ziel gewiß, aber doch so umfassend, daß es wenig praktische Verbindlichkeit für das konkrete politische Handeln zu gewinnen geeignet war. Eine Welt jedoch, deren machtpolitische Zweiteilung sich auch auf die innere Verfassung der Völker und ihren politischen Freiheitssinn nicht zum Besten auswirkt, und in der auch in manchen Demokratien schon die Opposition gegen eine allgemein dem Antikommunismus verschriebene Regierungspolitik jemanden in den Verdacht bringen kann, den Kommunismus zu begünstigen, bot Thomas Mann keine wirkliche politische Heimstatt mehr. Denjenigen, die seinen Haß gegen die »Nazis« schon von Anfang an für bösartig und undeutsch hielten, kam es gelegen, in Tho-

mas Mann einen »kommunistischen Mitläufer« entdeckt zu
haben, und er war an solcher Einstufung nicht ganz unschuldig,
und die Kommunisten taten das ihre, um den Verdacht zu ver-
stärken. So stand er zwischen zwei Lagern. Die westliche Demokratie der Nachkriegszeit war ihm noch zu wenig sozial und zu
antikommunistisch, und der Kommunismus, wiewohl er ein
moralisch berechtigter Gegenschlag gegen eine in manchem
fragwürdige Wirtschafts- und Sozialordnung war, erschien ihm
zu totalitär und extrem. Eine soziale Demokratie, eine Gesellschaft des »new deal«, ein humanitärer Sozialismus, das war es,
was er sich wünschte, was es aber in annähernder Vollkommen-
heit nicht gab. So saß er zwischen den Stühlen als ein unabhängiger, nur seinem Gewissen verantwortlicher Schriftsteller und
schlug sich, wie er schrieb, *zur Partei der Menschheit.*[174]
    Die antikommunistische Grundhaltung des Westens hatte je-
doch dazu geführt, daß er durch manche seiner Auslassungen in
den Verdacht prokommunistischer Neigungen geraten war. Und
so sah er sich eines Tages (es war im Jahre 1952) gezwungen, ein
unmißverständliches Bekenntnis zur westlichen Welt abzule-
gen.[175] Nicht zufälligerweise, so sagte er, lebe er im Westen. Kenn-
te er ein System, dem er den Vorzug geben müßte vor unserer
(der amerikanischen) traurig zugerichteten und sehr gefährde-
ten (durch den McCarthyismus) Demokratie, *ich reiste noch
heute und stellte mich ihm zur Verfügung.* Doch er kannte keines.
Die unschönen inneramerikanischen Auseinandersetzungen um
die Loyalität einer kleinen intellektuellen Minderheit hatten ihm
sehr zugesetzt und seine anfängliche Absicht umstoßen helfen,
bis an sein Lebensende in den USA zu bleiben. So erwog er die
endgültige Rückkehr nach Europa und ging schließlich in die
Schweiz. In der deutschsprachigen Umgebung der kosmopolitischen Provinz, die dem Emigranten ein erstes Asyl gewährt hatte,
verbrachte er seine letzten Lebensjahre, unermüdlich in seiner
künstlerischen Arbeit und in seiner Sorge um das Geschick der
Welt. Die Herausgabe der Memoiren des Felix Krull ließ dann
manchen Deutschen die oft widrige und peinliche Auseinander-

setzung um Thomas Mann, den Politiker, auf angenehme Weise vergessen, und der nun wieder unvergleichliche Schriftsteller und Meister der Sprache trat von neuem in den Vordergrund. Wo Thomas Mann sich zu politischen Fragen jener ersten Hälfte des sechsten Jahrzehntes noch äußerte, blieb er mehr oder weniger auf der damaligen Linie der deutschen Sozialdemokratie; nur daß sein Wunsch nach Errichtung einer europäischen Föderation, ja eines festgefügten Staatenbundes mit Deutschland als willigem und gleichwertigem Partner, und der Möglichkeit, Europa als Dritter Kraft eine wirksame politische Existenz zu sichern, vermutlich noch heißer war, als die deutschen Politiker damals zu erkennen gaben.[176]

Es war symptomatisch für die Beruhigung der Lage, wenn auch noch kein Zeichen dafür, daß Thomas Manns Gegner in Deutschland sich mit ihm ausgesöhnt hatten, daß sein zweiter Besuch in Mitteldeutschland (Mai 1955), diesmal um Schiller in Weimar zu ehren, längst nicht mehr jene weite Mißbilligung fand, die seinem ersten Weimarer Unternehmen zuteil geworden. Und es war kein Geringerer als der damalige Bundespräsident Theodor Heuss, der aus Anlaß einer Rede in Lübeck nach Thomas Manns Tode mitteilte, er habe dem Dichter seinerzeit dazu geraten, nach Weimar zu fahren.[177] So wurde auch von einer Persönlichkeit, die bei den Deutschen weniger in dem Verdacht steht, politisch kurzsichtig zu sein als Thomas Mann, die gesamtdeutsche Repräsentation des Künstlers gutgeheißen. Er nämlich konnte als freier und unabhängiger Schriftsteller noch tun, was den offiziellen Repräsentanten des Staates aufgrund der Umstände unmöglich war, an das eine Deutschland erinnern und so zum Symbol der in der Spaltung fortwährenden Einheit der deutschen Kultur und des deutschen Geistes werden.

Teil V
Würdigung

J.W.GOETHE / TH. MANN

───── 15 ─────

Geist und Politik

Wenn ein Dichter sich vermißt, seiner literarischen Kunst, die ihm viel Achtung und Bewunderung eingetragen, Werke weit profaneren Charakters, nämlich solche zu Fragen der politischen, gesellschaftlichen und geistigen Verfassung seiner Nation, an die Seite zu stellen, so drängt sich dem kritischen Leser die Frage auf, nach welchen Maßstäben diese wohl zu beurteilen seien. Die Kriterien der Beurteilung und Bewertung, die einem Werk der Dichtung angemessen sind, können doch wohl nicht mit gleichem Recht einer literarischen Hervorbringung politischen Inhalts appliziert werden. Denn die Sphäre der Politik ist nicht identisch mit der Sphäre der Kunst und der künstlerischen Phantasie; sie schafft allenfalls die äußeren Voraussetzungen für künstlerische Entfaltungsmöglichkeiten. So wäre denn ein Beitrag zum politischen Geschehen der Zeit, auch wenn er von einem Künstler kommt, eigentlich nach Kriterien politischer und historischer Wissenschaft, nicht jedoch nach ästhetischen Kategorien, wie sie der Kunst angemessen sind, zu beurteilen. Denn ein solcher Beitrag will ja nicht Kunst sein, zielt nicht primär auf das, was Thomas Mann einmal das »Ewig-Menschliche« nannte, auf die Verbreitung »höherer Heiterkeit«; er will nicht erfreuen, sondern er will, wenn er ernst gemeint ist, etwas bewirken, und zwar im Raum der Gesellschaft, in die er hineingesprochen wird. Sofern diese Absicht erkennbar ist – und sie läßt sich auch dort erkennen, wo es sich scheinbar nur um Bemühungen politischer Analyse handelt –, sind die Maßstäbe für eine adäquate Würdigung solcher Schriften und Reden nicht mehr von ästhetischen, sondern von soziologischen, politologi-

schen oder historischen Gesichtspunkten zu gewinnen. Thomas
Manns Schriften zur Zeit der Weimarer Republik oder seine
Reden gegen den Faschismus sind uns darum in erster Linie
nicht ihres literarischen Niveaus wegen von Bedeutung, sondern
sie erheischen – will man aus dem unseligen Streit darüber, ob
Thomas Mann politisch ein Kopf oder ein Querkopf gewesen sei,
endlich herauskommen – eine Würdigung im Hinblick darauf,
ob diese Reden einen sinnvollen Bezug zur tatsächlichen geistigen und politischen Situation der Zeit herstellten, oder ob sie an
der Zeit vorbeigeredet waren. Solches Vorbeireden an der Zeit
meint freilich nicht das jeweilige Urteil der Zeitgenossen, obgleich dieses natürlich für die Wirkung, die ein Wort zum politischen Geschehen entfalten kann, nicht unerheblich ist. Wenn
aber z. B. viele Deutsche der Meinung waren und es z. T. noch
heute sind, daß Thomas Manns Urteil über den Nationalsozialismus sachlich unrichtig und den wirklichen Verhältnissen nicht
angemessen gewesen sei, so kann solche Meinung nicht zum
Maßstab der Beurteilung herangezogen werden. Vielmehr wird
man heute, wo uns die Epoche des Nationalsozialismus als eine
abgeschlossene Periode unserer Geschichte einigermaßen über-
schaubar, da von der historischen Wissenschaft hinreichend er-
schlossen, vor Augen ist, das Urteil über die richtige oder falsche
Tendenz solcher Äußerungen zum Zeitgeschehen von unserer
heutigen Kenntnis der Zeitgeschichte abhängig machen müssen.
Dabei bleibt jedoch wiederum zu berücksichtigen, daß jene
Reden und Schriften aus der Zeit stammen, in die sie hineingesprochen wurden, also nicht von den gegenwärtigen Ergebnissen
unserer historischen Reflexion bestimmt sein konnten. Kein
Zeitgenosse verfügt über jene Vielfalt von Anschauungen und
Kenntnissen, welche die historische Forschung zur Voraussetzung ihres Urteils macht. Dennoch läßt sich von unserer heutigen Warte aus mit einiger Sicherheit beurteilen, ob ein Autor in
seinen Verlautbarungen zu den wesentlichen Triebkräften und
Geschehnissen der Politik seiner Gegenwart das Richtige gesagt,
oder ob er diese falsch eingeschätzt hat.

Der italienische Schriftsteller Ignazio Silone hat in einer Einleitung zur italienischen Ausgabe der politischen Schriften Thomas Manns auf die Unterscheidung von moralisch-geistigen Werten und politischen Kräften und Systemen hingewiesen. Er erwartet von einem politischen Schriftsteller Aussagen über die tatsächlichen politischen Vorgänge und Bestrebungen, über die eigentlichen Träger des politischen Machtkampfes. Lassen wir einmal dahingestellt, wieweit es angängig ist, moralisch-geistige Fragen von politischen zu sondern – mir scheint darin die marxistische Theorie vom Überbau fortzuwirken – und fragen wir uns mit Silone, inwieweit Thomas Manns politisch-literarische Produktion tatsächlich etwas zur Erhellung und Befruchtung der politischen Verhältnisse seiner Zeit beigetragen hat, bzw. hätte beitragen können. So befragt Silone beispielsweise die »Betrachtungen eines Unpolitischen«, ob sie etwas zur Erkenntnis der wahren Ursachen des Ersten Weltkrieges beizusteuern vermöchten, ob seine Schriften zur Weimarer Republik etwas von den wahren Schwächen des Weimarer Staates enthüllten und schließlich, ob seine Schriften zum Nationalsozialismus und Kommunismus uns über den modernen Totalitarismus, die Ursachen des Zweiten Weltkrieges und des auf ihn folgenden Kalten Krieges zu belehren vermöchten. Silone fand sich politisch nicht belehrt. Vielmehr vertritt er die Meinung, daß Thomas Mann in Wahrheit gar kein politischer Schriftsteller gewesen sei; er habe die Politik einfach mißverstanden, d. h. er habe etwas für Politik gehalten, was in Wirklichkeit gar nicht Politik sei. Die Ursache dieses kapitalen Mißverständnisses sieht Silone in Thomas Manns literarisch-rhetorischer Denkmethode, die der Vergangenheit zugewandt sei, so daß er die neu auftauchenden politischen Kräfte und Probleme nicht in den Blick bekommen habe.

Nun ist es zweifellos richtig, daß die »Betrachtungen eines Unpolitischen« als Studie über die Ursachen des Ersten Weltkrieges völlig ungeeignet sind und darüber so gut wie nichts aussagen. Andererseits ist die Frage erlaubt, ob die im Weltkrieg verfaßte Schrift eines konservativen, bürgerlichen Künstlers, der gegenüber der außerdeutschen und vor allem innerdeutschen Ententepropaganda seine künstlerische Existenz und ihre Welt zu verteidigen sich müht, ob ein solches Unternehmen als Beitrag zur politischen Daseinserhellung des deutschen Menschen allein darum unpolitisch sein soll, weil wir aus ihm nichts über die außenpolitischen, wirtschaftlichen und militärischen Rivalitäten erfahren, die Europa in den Ersten Weltkrieg haben taumeln lassen. Wenn wir in Rechnung stellen, daß es sich bei jenem Buch primär um eine erste, aus polemischer Absetzung gegen den pathetischen Demokratismus seines Bruders erfolgte Erkundung des Politischen und seiner Zusammenhänge mit dem Geiste handelt, um eine politisch-geistige Autobiographie, so ist der politische Ertrag dieses Buches nicht gering. Er liegt gewiß nicht in dem, was keine zwei Jahrzehnte später einigermaßen gesicherte und gemeinsame Erkenntnis der europäischen Neuhistoriker ist, welche die Ursachen jenes Krieges mit kühler Besessenheit erforscht haben; er liegt in dem exemplarischen Charakter, den dieses Buch für die nationalpolitische Gesinnung der im Wilhelminismus geistig und künstlerisch weithin führenden Schichten besitzt. Es gehört zweifellos zu den lautersten und großartigsten Zeugnissen seiner Gattung. Es enthüllt im Gewande erbitterter Gegenwehr das politische Selbstverständnis einer geistigen Elite des kaiserlichen Deutschland. Es ist das unvergleichliche literarische Zeugnis einer bewußt unpolitischen geistig-künstlerischen Gesinnung und somit auch beispielhaft für jenen grandiosen Irrtum deutsch-bürgerlicher Geistigkeit, sich das Politische nichts angehen lassen zu sollen, es losgelöst vom nationalen Leben als dem Kulturleben der Nation zu begreifen. Zugleich wird in jener quälend-polemischen Erkundung des Politischen, in der Radikalität der Verteidigung einer von der Geschichte endgültig bedrohten Position, deren innere Fragwürdigkeit dem Dichter selbst offenbar, so daß seine »Betrachtungen eines Unpolitischen« in ihm selbst die Verwandlung zum politischen Menschen bewirken und ihn in seine künftige Bahn als politischen Schriftsteller hineindrängen.

Wo immer jedoch von Politik bei Thomas Mann die Rede ist, steht sie in Verbindung mit geistigen Gehalten, ist sie in Relation zum Geist. Insofern handelt es sich bei ihm tatsächlich nie um Fragen und Probleme, wie sie den politischen Historiker oder den politischen Journalisten in erster Linie beschäftigen. Und man muß schon die Voraussetzung machen, daß Politik etwas mit Geist und Sittlichkeit zu tun hat, wenn man Thomas Mann als politischen Schriftsteller bezeichnen und ihn in dieser Rolle richtig würdigen will. Daß es aber gerade das geistige Element des Politischen, das Verhältnis des Geistes zur Politik war, welches den Dichter am unmittelbarsten berührte und ihn unablässig beschäftigte, braucht nicht wunderzunehmen. Wer führt ausschließlicher und mit tieferer innerer Notwendigkeit eine geistige Existenz als der Dichter oder Schriftsteller? Und wer unter den neueren Schriftstellern hat jene Verantwortung für den Geist so nachhaltig empfunden wie gerade Thomas Mann?

Der Gegensatz zwischen Geist und Leben, Vernunft und Wirklichkeit, enthält auch den Gegensatz von Geist und Politik. Wenn Thomas Mann es als Aufgabe des Schriftstellers angesehen hat, als Anwalt des Geistes »ein Richter und Befeuerer des Lebens« zu sein, so wollte er damit jenen inneren Zusammenhang zwischen Geist und Leben, zwischen Geist und Politik andeuten und zugleich davor warnen, Geist und Leben auseinanderzureißen und das eine gegen das andere wechselseitig auszuspielen. Die geistige Haltung des unpolitischen Menschen bewirkt die Ohnmacht des Geistes für die Gesellschaft; die Wirklichkeit des politischen Lebens bleibt dann ohne Korrektur und Kritik durch den Geist. Die Verachtung des Geistes als einer kritischen Instanz für das ungebundene Leben führt in noch radikalerer Zuspitzung zu demselben Ergebnis. Der Geist kann seine Funktion, »Selbstkritik des Lebens« zu sein, nicht erfüllen, wenn er das Ganze der sozialen Wirklichkeit des menschlichen Miteinanderseins nicht in seinen Gesichtskreis einbezieht. Er kann es erst recht nicht, wenn er sich seiner kritischen Funktion entäußert und zum willigen Sprachrohr der vitalen Kräfte des Lebens wird.

Dies waren die Ansichten, welche der durch seine unpolitischen Betrachtungen zu einer umfassenderen Erkenntnis des Politischen getriebene »geistige Mensch« Thomas Mann in der
Weimarer Republik entwickelt und in seinen politischen Schriften seit jenen Tagen immer aufs neue *erprobt* und *bewährt* hat. Er
bekannte sich zur Weimarer Republik, weil er in ihr die Möglichkeit einer Versöhnung von Politik und geistigem = nationalem Leben heraufdämmern sah. Er polemisierte gegen ihre intellektuellen Gegner, nicht nur, weil sie in einer Art Verstocktheit
die Demokratie als eine »innere, seelische Tatsache« nicht anzuerkennen bereit schienen, jedenfalls solche Anerkennung nicht
auf das äußere Gebilde übertragen wollten, sondern vor allem,
weil sie im Begriffe standen, die kritische und humane Funktion
des Geistes (ist es doch der Geist, der den Menschen zum Menschen macht) an das Leben und die Politik zu verraten. Mochte
Thomas Mann über andere akute innere Schwächen des Weimarer Regimes, über die Parteizersplitterung, die ökonomischen
und sozialen Wandlungen nur wenig sagen, es gibt keine treffen-
deren, politisch relevanteren geistespolitischen Analysen aus
jener Zeit als die seinen. Weder Ernst Robert Curtius mit seiner
Broschüre »Deutscher Geist in Gefahr« (1932) noch Friedrich
Meinecke mit seinen unermüdlichen Kommentaren zum Zeitgeschehen haben in ihren gewiß bedeutsamen politischen Schriften die problematische, ja bedrohliche Entwicklung des unpolitischen und politischen Geistes im Deutschland der zwanziger
Jahre mit jener bestürzenden Deutlichkeit gesehen wie Thomas
Mann. Unablässig hat er sich bemüht, dem deutschen Geist zu
einem sinnvollen Verhältnis zum Politischen zu verhelfen. Sofern
es damals überhaupt einen Ansatz für geistiges Wirken im politischen Raume gab, war es der seine. Wenn darum ein Kritiker
des politischen Schriftstellers Thomas Mann wie Ignazio Silone
in dessen Schriften der Weimarer Zeit keine Erkenntnis über die
wahren Schwächen jener Republik zu finden meint, so teilt er offenbar die Prämisse nicht, von der Thomas Manns politisch-literarisches Wirken bestimmt war. Thomas Mann hatte zu der Er-

kenntnis gefunden, daß in jeder geistigen Haltung, auch wo sie
sich dem Politischen zu verschließen meint, das Politische latent,
d. h. mitangelegt ist. Geist und Politik stehen somit in einer un-
aufhebbaren Korrelation. Man kann als geistiger Mensch dem
Politischen nicht entrinnen, und wenn man es vielleicht früher
konnte, in unserer Zeit kann man es nicht mehr. Hilft aber der
Geist gar mit, einer Politik den Weg zu bereiten, die sich jeder kritischen Kontrolle des Geistes entziehen will, hat er teil an der Ver-
schwörung gegen sich selber und somit gegen das eigentlich
Menschliche, dann verharrt er nicht allein, wie der Geist des Unpolitischen, in seiner »machtgeschützten Innerlichkeit« und läßt
die Macht ihr Wesen treiben, ohne sich daran zu stören, sondern
er wird zum Vasallen des Ungeistes, den er als das machtvolle
Leben feiert. Solches aber bereitete sich vor im geistigen Leben
der Weimarer Republik, und dies zu enthüllen und in seiner Ge-
fährlichkeit anzuprangern war Thomas Manns hervorragendste
Mission als politischer Schriftsteller in der Weimarer Zeit.

Die Geschichte gab seinen Warnungen recht. Die Politik des
nationalsozialistischen Regimes war eine Politik wider den Geist
wahrer Humanität. Angesichts des Terrors, der Lüge und der Ge-
walttat, mit denen sich die nationalsozialistischen Machthaber
im Sattel hielten, um schließlich die Welt kriegerisch in die
Schranken zu fordern, ist es dem Emigranten Thomas Mann
nicht schwergefallen, seine geistespolitische Gesinnung zu bewähren. Deutschlands Sache war nun nicht mehr die der Humanität. Der »Dämon«, der es ergriffen hatte und in den hegemo-
nialen Endkampf um Europa trieb, kannte nicht die angeblichen
Schwächen humanitärer Gesinnung, duldete nicht den freien,
unabhängigen Geist als eines kontrollierenden und das Leben
humanisierenden Mittels der Politik. Das geistige, das weltbür-
gerliche Deutschland hatte in jenem Dritten Reiche seine wahre
Heimstatt verloren. Thomas Mann hatte sich einst unter der Idee
eines Dritten Reiches die Versöhnung von Geist und Macht vorgestellt. Das Reich Hitlers, das sich so nannte, wurde zur geistwidrigen Machtmaschinerie. Thomas Mann ist – wie in Kapi-

tel 9 ausgeführt wurde – zum Repräsentanten des geistigen
Deutschland in der Emigration geworden. Auch in jenen zwölf
Jahren blieben seine Bemerkungen zum politischen Geschehen
seiner Zeit und vor allem zu den geistigen Hintergründen im
großen und ganzen richtig und der historischen Lage angemessen: Er hatte guten Grund, die Appeasementpolitik der Westmächte zu verurteilen, er hatte ebenso gute Gründe, den westlichen Demokratien Mut zu einem kämpferischen Humanismus
zu machen, um sich der Gefahren einer Aufweichung durch den
Faschismus zu erwehren. Und es entsprach einem vernünftigen
geschichtlichen Sinn, wenn er immer von neuem einer sozialistischen Grundhaltung das Wort redete. Im Angesicht der Bedrohung durch den Faschismus und der zunächst weniger offenen
Bedrohung durch den Kommunismus schien ihm die Forderung
zu Recht zu bestehen, die westlichen Demokratien möchten sich
aus liberalen, vom Geist des Laissez-faire-Individualismus bestimmten Gesellschaftsformen zu neuen, sozial-demokratischen
Gemeinwesen fortbilden, die den sozialen Ansprüchen der politisch mündig gewordenen Massen gerechter würden. Als politische Vision schwebte ihm letztlich das Bild der Einen Welt (One
World) vor Augen, die aber nur denkbar war, wenn die extremen
ideologischen und machtpolitischen Gegensätze sich aufhöben
zugunsten eines allgemeinen, das Private und Nationale gleichermaßen übergreifenden sozialen Humanismus.

Dieser Einen Welt schien sich nach der Zerschlagung des europäischen und vor allem des deutschen Faschismus eine reale
Zukunftsmöglichkeit zu bieten, zumal die von Natur verfeinde-
ten Systeme des Kapitalismus und des Kommunismus im Kampf
gegen den faschistischen Anspruch auf Weltherrschaft zu Bun-
desgenossen geworden waren. Sie war nicht die schlechteste der
politischen Ideen, und sie verhieß nach den furchtbaren Jahren
eines mörderischen Krieges eine Ära des Friedens und des Ausgleichs. Daß diese Ära nicht heraufzog, sondern dem frostigen
politischen Klima eines Kalten Krieges den Vorrang überlassen
mußte, hat die letzten Lebensjahre des Dichters ein wenig ver-

dunkelt und zu einer gewissen Entmutigung und Hemmung seiner geistig-politischen Impulsivität geführt.

Wenn dem weitverbreiteten Urteil, Thomas Mann habe politisch Irrtümer über Irrtümer begangen, einige Beweiskraft zukommt, so allenfalls für jene letzten Jahre, in denen sein Wunsch nach Frieden und nach Ausgleich der aufeinanderprallenden ideologischen und politischen Gegensätze zwischen Ost und West ihn zu einer freundlicheren Beurteilung des kommunistischen Systems und seiner Praktiken trieb, als man es von einem Schriftsteller erwartet hätte, der sich in den Jahren davor mit solcher Entschiedenheit und Kompromißlosigkeit gegen den faschistischen Totalitarismus ausgesprochen hatte. Weil er nicht mit derselben kraftvollen Energie gegen Walter Ulbricht und die Mächtigen im Kreml Stellung bezog wie einst gegen Hitler oder später gegen Franco und McCarthy, weil er nur die faschistische Inhumanität, nicht aber in gleicher Entschiedenheit die kommunistische Inhumanität angeprangert hatte, darum geriet er zunehmend in den Ruf politischer Voreingenommenheit und Unzuverlässigkeit. Allein, es ist kaum anzunehmen, daß Thomas Mann, der zu den bestinformierten Menschen seiner Zeit gehörte, gerade hinsichtlich des Kommunismus besonders lückenhaft unterrichtet gewesen sein soll. Wenn sich dennoch ein gewisser Unterschied in seiner Beurteilung der beiden totalitären Systeme ergibt, so hat das unseres Erachtens mehrere, zusammenwirkende Ursachen:

Thomas Mann ist nicht durch ein kommunistisches Regime, sondern durch den Nationalsozialismus gezwungen worden, sein Vaterland zu verlassen. Nicht die Kommunisten, sondern die Nationalsozialisten haben ihm sein Deutschtum aberkannt und ihn zu einem amerikanischen Staatsbürger werden lassen. Sein Leiden an Deutschland war nicht das Leiden an einem kommunistischen Deutschland, sondern an einem nationalsozialistischen. Allein schon dieser außerordentliche Unterschied im persönlichen Erfahrungsbereich läßt uns seine divergierende Haltung hinsichtlich des Kommunismus verständlicher werden.

Wesentlicher als der eben genannte Grund scheint uns jedoch ein anderer zu sein, der aus seiner publizistischen Arbeit selbst herrührt: Thomas Manns politisch-literarische Tätigkeit hat in ihrem Kern immer einen polemischen Zug. Sie wendet sich im Sinne des mehr oder minder gleichbleibenden Ideals einer kosmopolitischen Geistigkeit und sozialen Humanität gegen bestimmte geistige und politische Tendenzen, die ihm falsch, einseitig oder zu mächtig dünken, und denen er darum, aus seinem oft erwähnten Bedürfnis nach Gleichgewicht, aber auch in Erfüllung der kritischen Funktion des Geistes gegenüber den Kräften und Strömungen des politischen Lebens, korrigierend entgegentritt. Diese für sein politisches Wirken charakteristische Haltung zieht sich durch alle Epochen dieses Wirkens hindurch: im Weltkrieg ist es der Chorus der pazifistischen, linksgerichteten Intellektuellen, personifiziert in seinem Bruder Heinrich, dem er abwehrend entgegentritt. In der Weimarer Zeit sind es die »Defaitisten der Humanität«, die Anbeter des Irrationalen und die Verächter rationaler politischer Organisationen, denen sein polemischer Zugriff gilt. Obwohl die intellektuelle Position Thomas Manns nun vertauscht erscheint, ist er, aufs Ganze gesehen, doch der seinem Wesen nach aufs Konservative angelegte Mensch geblieben, der aus der Mitte seiner geistigen Position heraus gegen die extremen Alternativen ficht, die ihm jeweils ein gefährliches Übergewicht zu erlangen scheinen. Es entspricht durchaus diesem Sachverhalt, wenn Thomas Mann erwähnt, daß sich manche Leute darüber gewundert hätten, wie er so konsequent aufs falsche Pferd hätte setzen können. In keinem Falle kann von Opportunismus die Rede sein. Oder will man es als Opportunismus deuten, wenn Thomas Mann so forsch gegen die rabiaten geistigen und politischen Gegner der Weimarer Republik vorgeht, daß er nach dem Sieg des Nationalsozialismus über die Republik sein Land verlassen muß?

Als mit der nationalsozialistischen Herrschaft für den Dichter »moralisch gute Zeiten« anbrachen, weil gegenüber »so etwas wie Hitler« auch nicht die geringsten Zweifel möglich waren, ob man auf der rechten Seite stand, hat die illusionistische Politik der Westmächte gegenüber Hitler ihn erneut in eine polemische Haltung gedrängt. Er wurde zum Gegner eines Friedens, der auf unerträglichen Voraussetzungen beruhte und niemals von Dauer, sondern nur Ansporn zu künftiger Machtexpansion für den Führer des Dritten Reiches sein konnte. Allein die Zeit des Zweiten Krieges hat ihn einige Jahre lang in einer relativen Übereinstimmung mit den maßgeblichen politischen und geistigen Kräften des Landes gesehen, in dem er lebte, während das Grauen, welches die nationalsozialistischen Führer durch ihren Krieg über das deutsche Volk und Europa brachten, weiter an seinen Nerven zerrte und ihn zu geharnischten polemischen Ausbrüchen gegen die nationalsozialistische »Verbrecherclique« trieb. Als der Nationalsozialismus dann schließlich sein unrühmliches Ende genommen hatte, mußte er sich gegen die in seiner neuen amerikanischen Heimat überhandnehmende Kommunistenpsychose zur Wehr setzen, die ihn nicht nur beunruhigte, weil in ihr faschistische Tendenzen am Werke waren, sondern weil sie mit der inneren Freiheit der Demokratie auch die äußere Sicherheit des Friedens in der Welt bedrohte. Er hat es verschmäht, in den allgemeinen Chorus antikommunistischer Stimmen miteinzufallen, nicht, weil er etwa den Kommunismus liebte, sondern weil er den Westen mehr liebte als das kommunistische System des Ostens und nicht ohne guten Grund der Meinung war, daß der hektische Antikommunismus eines McCarthy um der Erhaltung der Humanität und freiheitlichen Lebensordnung willen dringend der Korrektur durch den Geist der Vernunft und den Willen zum Frieden und Ausgleich bedürfe. Er mußte es freilich in Kauf nehmen, daß seine korrigierenden Bemerkungen ihm in der Stimmung des Kalten Krieges als Mitläufertum ausgelegt wurden, um so mehr, als es kaum eine Möglichkeit gab zu verhindern, daß die allein an die Adresse des Westens gerichteten Ermahnungen, die positiven Merkmale des Kommunismus (und es gibt solche) nicht blindwütig zu übersehen, von den Kommunisten nach Belieben ausgebeutet wurden. Es bedarf nicht des geringsten Zweifels, daß Thomas Mann niemals für das Leben im kommunistischen Machtbereich optiert hätte.

Sieht man so die Äußerungen Thomas Manns über den Kommunismus vor dem Hintergrund der Übersteigerung antikommunistischer Propaganda auf dem Kampffeld des Kalten Krieges, die seine polemische Natur reizte, sieht man sie unter dem Gesichtspunkte seines Gleichgewichtsbedürfnisses, das ihn dazu drängte, der auf allzu billige Weise ins Unrecht gesetzten Position mehr Gerechtigkeit widerfahren zu lassen, so erscheinen die oft freundlich gehaltenen Erklärungen über den Kommunismus in einem etwas anderen Licht. Thomas Mann war als Schriftsteller ein geistig unabhängiger Mensch. Darum konnte er es sich leisten, nach Frankfurt und nach Weimar zu fahren; trotzdem war seine geistige Heimat der Westen. Nur dem Westen und nicht dem Kommunismus galten seine vorschnell als Sympathieerklärungen mißdeuteten Korrekturen des oft aggressiven westlichen Antikommunismus. Der extreme Antikommunismus ist gewiß kein günstiger Nährboden für das gedeihliche Wachstum eines freiheitlichen und demokratischen Gemeinwesens. Dies gilt nicht zuletzt für die Bundesrepublik, der Thomas Mann trotz Remilitarisierung, trotz des vorläufigen Scheiterns der europäischen Einigung und trotz der offenen und latenten neofaschistischen Bestrebungen ungleich viel näher stand als der Herrschaftszone Walter Ulbrichts. Der konservative Schriftsteller, den die Zeitläufte, ohne sein politisches Naturell grundlegend zu ändern, auf der politischen Bühne von rechts nach links geschoben hatten, war seiner geistigen Struktur nach zeitlebens allem Radikalismus abhold, und so hielt er es für seine Pflicht, dem radikalen Antikommunismus ins Wort zu fallen und an ein Gemeinsames zu erinnern, das weder der radikale Kommunismus noch der radikale Antikommunismus ins Werk zu setzen vermögen, die Bewahrung und Sicherung des Friedens im Zeichen eines sozialen Humanismus.

Viele der politischen Stellungnahmen Thomas Manns erwecken freilich nicht den Eindruck, Hervorbringungen eines aller geistiger Radikalität abholden Gemütes zu sein. Thomas Mann war ein Meister der scharfen und geschliffenen Polemik; es schien ihm Vergnügen zu machen, die Schwächen des Gegners gnadenlos bloßzulegen und ihn mit unfreundlichen Attributen zu überhäufen. Nicht für die Tonart eines Teils seiner politischen Publizistik kann also unsere Meinung gelten, sondern für den geistigen und moralischen Standort, von dem aus er operierte. In Thomas Mann den politisch Wandelbaren zu sehen, drängt sich gewiß leicht auf, bleibt aber dennoch nur ein oberflächlicher Eindruck. Was er letztlich unter Politik verstand, die Art von Geistespolitik, die er trieb, war die beständige Sorge um die Möglichkeit des Menschseins, zunächst im Raume des politischen und geistigen Deutschtums, dann für Europa und schließlich für die Welt. Eine kühne Weiterung des Begriffs des Politischen war in diesem Ansatz angelegt. Sie ergab sich aus der philosophischen Überzeugung, daß im Menschen Natur und Leben durch das Mittel des Geistes über sich hinauskommen. Wenn in der Sphäre des Politischen vorwiegend die geistfremden, vitalen Energien zu Hause sind, so besteht um so mehr die Verpflichtung, die Politik geistfähig zu machen, sie vor die Schranken des Geistes zu fordern und den Geist als Inbegriff der Humanität zu ihrem Maßstab und Richter zu machen. So und nicht anders hat der Dichter seinen politischen Auftrag verstanden, es war Dienst des Geistes am Leben. Und es ergab sich mit zwingender Notwendigkeit aus solcher Auffassung des geistigen Berufes eines Schriftstellers, daß ihm eine starke moralische Komponente innewohnte. Der politische Schriftsteller seiner Prägung war notwendigerweise auch ein Moralist.

Wie sehr für Thomas Mann gesellschaftliche und politische Probleme Fragen der Moral waren, erhellt sich aus den einleitenden Worten zu seinem Vortrag über den »Künstler und die Gesellschaft«. Dort präzisiert er sein Thema, bis es schließlich auf dem Umweg über die Formulierung »der Künstler und die Politik« die Fassung »der Künstler und die Moral« erhält. War die Ironie das ausgezeichnete Mittel seiner literarischen Kunst, so

durchwaltet ein starker moralischer Impuls seine Schriften zur
politischen und gesellschaftlichen Verfassung seines Landes und
der Welt. Wenn er auch verschiedentlich betont hat, daß der Politik wie auch dem Kunstmittel der Ironie ein Vermittelndes
eigne und sie darum einander verwandt seien, so war er als politischer Schriftsteller gerade nicht mehr Ironiker, sondern Moralist. Nicht das ästhetische Spiel der Worte und Gedanken war bezeichnend für sein politisch-literarisches Wirken, sondern das
entschiedene und kraftvolle Eintreten für die Sache des Geistes
und der Humanität. In dem immer vorhandenen Gegensatz zwischen Geist und Leben, den die Politik zu versöhnen trachten
muß, trat er als Künstler mit bürgerlicher Verantwortung entschlossen auf die Seite des Geistes, und er tat es um so entschiedener, je mehr sich die Politik den Regeln des Geistes und der
Vernunft entschlug und sich in ihrer Geistverlassenheit den
rückschlägigen Kräften des Bios überließ.

Dennoch empfand gerade er, der »ironische Deutsche« (Erich
Heller) *par excellence*, stets die Fragwürdigkeit seiner moralisie-
renden politischen Existenz. Der zur Schau getragene politische
Optimismus seiner letzten Jahrzehnte, der immer wiederholte
Glaube an die Menschheit und den Sieg des Guten in der Welt,
sie dünkten ihm gelegentlich doch nicht das ihm Gemäße zu
sein. Sein Naturell war weit eher das des Pessimisten und Zweif-
lers, der in einer ironischen Distanz zur Welt lebt. In der Sphäre
der Kunst war ihm fraglos wohler als im Bereich der Politik.
Wenn er dennoch seinen künstlerischen »Werktisch« immer
wieder verließ, um auf seine Weise dazu beizutragen, der Welt ein
Stück vernünftiger und sittlicher Ordnung abzugewinnen, so
deshalb, weil sein moralisches Gewissen ihm keine Ruhe ließ.
Einfacher und ruhiger hätte er es zweifellos gehabt, hätte die Politik seiner Zeit nicht sein »moralisch-kritisches Gewissen in
einen beständigen Reizungszustand« versetzt. Daß es nicht ein
pathetisches Besserwissenwollen war, das ihn zum politischen
Schriftsteller werden ließ, sondern ein Leiden an der Zeit, und
insbesondere ein Leiden an der geistigen und politischen Verfas-

sung seines Vaterlandes, dafür spricht, daß er sich erst als Vierzig-
jähriger die Toga des politischen Literaten überwarf. Die be-
schauliche Ruhe des wilhelminischen Zeitalters hatte ihn poli-
tisch-moralisch nicht zum Engagement gezwungen. Erst als mit
dem Weltkrieg die Möglichkeit geruhsamer und friedlicher Existenz für Jahrzehnte, wenn nicht gar für immer, dahinschwand,
wurde er auch zum politischen Schriftsteller.

Diejenigen unter seinen Lesern, die solche Zweigleisigkeit
einer literarischen Existenz für ein kleines Unglück halten und
den Dichter lieber vor den »Fallstricken« der Politik bewahrt gewußt hätten, sollten darum weniger seine moralische Entscheidung für das Hinabsteigen in die angeblich so wüsten Gefilde der
Politik bedauern als die Politik jener Zeit danach befragen, ob
nicht sie der Kritik und des Zuspruches eines so exemplarischen
geistigen Menschen wie Thomas Mann in besonderer Weise be-
dürftig war. Um es in Thomas Manns eigenen Worten zu sagen:
Der Trieb, das Menschenleben dem Guten, Vernunftgemäßen,
Geistgewollten anzunähern, ist ein Auftrag von oben, dem keine
Skepsis die Gültigkeit nimmt, dem kein Realismus entkommt. Trotz
aller Niederlagen, durch sie hindurch, hat er das Leben für sich.

Es ist nur natürlich, daß sich ein solcher Trieb den wechseln-
den Bedürfnissen der geistigen und politischen Situation anpas-
sen muß, aber wie immer auch die politischen Antworten auf die
Forderungen des Tages aussehen mochten, wie sehr also die politischen Urteile über eine Reihe einschneidender historischer
Zäsuren hinweg im einzelnen sich wandeln und in isolierender
polemischer Zuspitzung ungerecht ausfallen mochten, sein moralischer Impuls, die Politik durch den Geist zu humanisieren,
blieb sich immer gleich. Diesem Impuls gefolgt zu sein, ihm in
höchster Integrität und geistiger Verantwortung gedient zu
haben, bleibt für alle Zukunft die Größe Thomas Manns als politischer Schriftsteller.

Eine andere Frage ist es freilich, ob man recht daran tut, in ihm
einen großen politischen Denker zu sehen. Thomas Manns pu-

blizistisches Werk enthält keine politische Ideenlehre im strengen Sinne. Seine immer wieder auftauchenden Grundbegriffe wie Demokratie, Humanität, Sozialismus sind für den politischen Wissenschaftler als begriffliches Instrumentarium wenig brauchbar. Sie sind zu schillernd, zu weit gefaßt, zu allgemein, als daß sie taugliche Werkzeuge der politischen Analyse abgeben könnten. Wenn Thomas Mann z. B. über »Goethe und die Demokratie« handelt, so kann darin von parlamentarischer Regierungsform, von allgemeinem Wahlrecht und von Mehrheitsprinzip natürlich nicht die Rede sein. Gemessen an solchen notwendigen Formalien des politischen Demokratiebegriffs müßte Goethe eher mit dem antidemokratischen Denken in Verbindung gebracht werden. Dennoch war es ein sinnvolles Bemühen, in Goethe jene humanen und sozialen Züge aufzuspüren, die eine Voraussetzung dafür bieten, daß sich Demokratie aus einer formalen Verfassungsform zu einer lebenden Form entwickelt, zur *Demokratie als Lebensform* fortschreitet. Die Voraussetzungen dafür sind humaner Natur, und Thomas Manns Begriff der Humanität, seine Wiederbelebung des Humanismus als Inbegriff geistigen Lebens in seiner moralischen Würde, ist am ehesten geeignet, als Begriff von Mißverständnissen frei zu bleiben. Die Humanität ist unseres Erachtens der für das publizistische Wirken Thomas Manns charakteristische Begriff. Er ist es nicht nur deshalb, weil alle politischen Bemühungen des Dichters im Dienste der Humanität und im Geiste des Humanismus geschahen, sondern weil dieser Begriff aus der Sphäre des Geistes und nicht der Politik stammt. Wenn sich Thomas Manns politisches Wirken auf die Formel bringen läßt, dem Geist als dem eigentlichen Humanum eine Chance im Leben der Politik einzuräumen, so muß man auch die politischen Begriffe, deren er sich bediente, ohne welche er auch gar nicht hätte auskommen können, in ihrer spezifischen Geistbezogenheit sehen. Kommunismus, das war für ihn nicht die simple Identität mit dem bolschewistischen Regime, Sozialismus nicht die Lehre von Karl Marx und ihre revisionistischen Abwandlungen. Sozialismus war die Einbeziehung des gesellschaftlichen Elements in die Sphäre der Kultur und des Geistes und die Anerkenntnis der Berechtigung der Gesellschaftsidee durch die Politik. Kommunismus war die extreme Ausformung solcher Erkenntnis, die zwar auf geistig ihm unannehmbaren weltanschaulichen Voraussetzungen beruhte, aber als revolutionäre Antwort auf einen inhuman gewordenen Laissez-Faire-Kapitalismus dennoch ein moralisches Recht besaß.

Thomas Mann begnügte sich also nicht mit den gebräuchlichen begrifflichen Etiketten seines Jahrhunderts, er versuchte in die Demokratie, den Sozialismus und Kommunismus etwas vom Geiste der Humanität hineinzulegen. Er verstand sie, wo er diesen Begriffen, wie es oft geschah, einen positiven Wert unterlegte, als Ideen und nicht als Realitäten des politischen Lebens und seiner Regierungssysteme. Die Idee, in deren Sinne die politischen Erklärungen seiner letzten Jahre formuliert waren, war der Friede der Menschheit. Sein innerpolitischer Appell an die Vernunft aus dem Jahre 1930 wurde schließlich zum weltpolitischen Appell an die Vernunft, weil er mit Recht überzeugt war, daß aus der friedlichen Zusammenarbeit der beiden Machtblöcke für die Menschheit mit Sicherheit Besseres hervorgehen könnte als aus ihrer den Frieden gefährdenden Rivalität. Die Radikalität seiner politischen Polemik war im übrigen in den letzten Jahren zunehmend einem gütigen Zureden zur Friedfertigkeit gewichen, und auch gegenüber Deutschland und den Deutschen verloren seine Urteile viel von ihrer polemischen Schärfe und gewannen an Güte und Liebenswürdigkeit.

Über das Verhältnis der Deutschen zu Thomas Mann wird man ein allgemeines Urteil kaum fällen können. Es fällt gewiß auch denen, die seine Bücher noch heute ablehnen, schwer, ihm die literarische Größe zu versagen. Aber wenn Thomas Mann sich in seinen frühen Jahren so sehr gegen die Unterstellung zu wehren hatte, er sei nur ein Schriftsteller und nicht ein Dichter, so traf diese Unterscheidung doch etwas Wesentliches, weil sich in ihr mehr oder minder klare Vorstellungen verbargen, die ein Teil des deutschen Leserpublikums mit der Idee des Dichters verband und noch verbindet. Der Dichter sollte demnach nicht Kritiker, sondern Sprachrohr des Lebens sein, er sollte nicht ironische Distanz, sondern ein Gefühl des Erhobenseins, der Weihe und Ehrfurcht schaffen, er sollte die Menschen nicht bloßlegen in ihren Vorzügen und Schwächen, sondern Helden zeichnen, die einem kraftvollen, positiven Leben als Vorbild dienen können. Thomas Manns zentrale Gestalten hingegen waren Gestalten des Verfalls, der grüblerischen Selbstanalyse, im nationalsozialistischen Jargon: Figuren einer »alles zersetzenden Literatur«. Die Naivität, mit der man jedwedes Psychologisieren als dichtungsfeindlich ansah, scheint mir am Grunde der vorwiegend im deutschen Sprachraum üblichen Unterscheidung zwischen einem Schriftsteller und einem Dichter zu liegen. Thomas Mann wollte seine Leser durch die *sprachliche Kunst* erheben und erfreuen, mit der er ein geistiges Problem zu künstlerischer Wirklichkeit verdichtete; viele aber erwarteten solche Erhebung von den Inhalten her, die ihnen die Dichtung nahebringen sollte. Nicht ein Delektieren am sprachlichen Kunstwerk stand ihnen im Vordergrund, sondern die Hingabe an schöne, bleibende Inhalte, oder jedenfalls solche, die man dafür hielt. Gemessen an solchen Erwartungen war Thomas Manns Dichtung zu intellektualistisch und psychologisch. Die Verbindung von Mythos und Psychologie, die Thomas Mann etwa in den Josefsromanen so meisterhaft vor Augen führt, war nicht nach dem Geschmack von Lesern, die vielleicht einen psychologischen Roman à la Stefan Zweig nicht verschmähten, aber das Mythische auf jeden Fall nicht mit Psychologie durchsetzt sehen wollten.

Hier handelt es sich freilich um Fragen der literarischen Geschmacksbildung, aber es liegt auf der Hand, daß, wer Thomas Manns Kunstwerken allenfalls ästhetischen Reiz abgewinnen, durch sie aber nicht eine Stärkung seiner Gemütskräfte erfahren konnte, in Manns nach 1922 zutage tretender politischer Haltung nur die Kehrseite seiner künstlerischen Erscheinung zu erblicken geneigt war. Zeigte sich doch an dieser politischen Haltung, daß Thomas Mann, der Künstler des Verfalls und des Todes, mit den »zersetzenden Kräften« des politischen Lebens der Weimarer Republik zusammenstand.

So konnte auf der einen Seite eine gewisse Fremdheit gegenüber dem künstlerischen Werk Thomas Manns die Verurteilung gerade seines politisch-literarischen Wirkens erleichtern. Aber auch wer Thomas Manns literarische Bedeutung nicht zu verkleinern suchte, hatte in dem Augenblick, in dem der Dichter sich zu der wesentlichen politischen Frage der Weimarer Zeit (nämlich für oder gegen die demokratische Republik zu sein) äußerte, beste Gelegenheit, seine politischen Stellungnahmen zu kritisieren, bewegte Thomas Mann sich doch nun auf dem »vogelfreien« Feld politischer Meinungen. So entstand als praktischster Ausweg aus der Verlegenheit, in die ein politisch Stellung beziehender großer Schriftsteller seine Landsleute bringt, die bis heute noch geläufige Formel vom »ewig Unpolitischen«, der sich bedauerlicherweise in die Gefilde der Politik verirrt habe. Man tue gut daran, so empfahl man, das auf diesem Gebiet von Thomas Mann Verkündete und Angestrebte nicht zu ernst zu nehmen. Es hieße ja schließlich nicht die Rolle Thomas Manns als eines Großen der europäischen Literatur verkleinern, wenn man seine politischen Äußerungen ablehne – und dazu habe man allen Grund.

Zu diesem von vielen geteilten Urteil wirkte manches zusammen: einmal die Tatsache, daß Thomas Mann entgegen den Hoffnungen, zu denen seine »Betrachtungen« berechtigt hatten, sich als jemand erwies, der die Politik später nicht mehr nach den Prämissen beurteilte, nach welchen er angetreten zu sein schien. Da war ferner die Tatsache, daß er nicht zögerte, auf dem nach 1922 eingeschlagenen Wege noch entschiedener fortzuschreiten und sich dabei in verschiedene, von nicht geringer Publizität begleitete Polemiken mit Nationalisten einließ. Da war schließlich der simple Umstand, daß er seinen Landsleuten unmißverständlich und selbstsicher sagte, was er für richtig und gut hielt. Da aber Thomas Manns Urteil und das vieler Deutscher in politischen Fragen absolut nicht in Übereinstimmung zu bringen waren, empörten diese sich über die Anmaßung, die Nation geistig führen zu wollen und entrüsteten sich moralisch über den Moralisten, der seine Auslegung der Mission des Deutschtums seinen Landsleuten unbeirrt nahezubringen versuchte. Man war nicht bereit, ihm einen Führungsanspruch in geistespolitischen Fragen zuzuerkennen, was um so leichter fiel, als zu der üblichen Meinung, ein Dichter habe in der Politik nichts verloren, auch die Überzeugung trat, es sei politisch gesehen Unfug, seinen Meinungen und Empfehlungen zu folgen.

Die Abwehrhaltung vieler Deutscher gegen den Politiker Thomas Mann ist auch aus der einfachen Tatsache zu begründen, daß er sich mit seinen Ansichten vielfach im Gegensatz zur herrschenden Meinung befand. Sein eigentlicher Adressat war ja das deutsche Bürgertum. Das deutsche Bürgertum der Weimarer Republik war jedoch in seiner Mehrheit republikfeindlich. Es hat sich dann auch nicht sonderlich entrüstet, als das Dritte Reich ihn und sein Werk verfemte, wenngleich manche bedauern mochten, daß seine Bücher nicht mehr zu haben waren. Es sah in seiner Aktivität gegen den Faschismus letztlich nichts als eine durch Deutsche betriebene und darum verwerfliche Feindpropaganda. Als die Deutschen schließlich am Boden lagen und das Selbstmitleid über das nun zu erleidende Schicksal oft genug das Gefühl für die eigene Mitverantwortung im Dritten Reich erstickte, da sah man ihn wiederum als einen Wortführer jener Kräfte, die den geschlagenen Deutschen neues »unverdientes Leid« zufügten. Von all diesen Positionen her gesehen, stand Thomas Mann sozusagen immer auf der falschen Seite, und es mußte schwer fallen, ihn und seine Haltung sine ira et studio zu betrachten, zumal auch er »cum ira et studio« zu argumentieren verstand.

Das ablehnende Verhalten so vieler Deutscher zum politischen Schriftsteller Thomas Mann reflektiert in erster Linie das Mißverhältnis dieser Deutschen zur Politik ihrer Zeit. Thomas Mann teilte eben nicht das politische Schicksal eines großen Tei-

les der sozialen Schicht, der er entsprossen war. Er nährte nicht
das übliche Ressentiment gegen die erste Republik, er war außerhalb Deutschlands, als das Dritte Reich das deutsche Volk als »nationale Schicksalsgemeinschaft« hart umschlossen hielt. Er
wurde persönlich nicht von dem Verderben heimgesucht, das die
Führer dieses Reiches auf ihr Volk herabbeschworen hatten, und
er blieb skeptisch, als der starke deutsche Wille zur Heilung und
Wiedergenesung sich bald mit dem schon lange bei uns heimi-
schen Antikommunismus verband. Gegenüber all diesen herrschenden Tendenzen war Thomas Mann Außenseiter. So kann
zwar die kritische Einstellung weiter Kreise ihm gegenüber nicht
verwundern, aber für weite Strecken dieses politischen Weges ist
die Frage, wer nun eigentlich politisch klarer und vernünftiger
geurteilt hat: Thomas Mann oder seine zahlreichen Kritiker,
heute nicht schwer zu beantworten. Die Geschichte hat diejenigen Lügen gestraft, die sich für politisch weiser und klüger hielten als den »Unpolitischen«. Je mehr wir uns freilich von jenen
Jahren der Kontroversen um den Politiker Thomas Mann entfernen, um so größer wird das Verständnis für diese Zusammenhänge werden.

Die Zeiten sind nämlich vorbei, in denen, wie zwischen 1945
und 1952, manche Buchhändler sich ernste Gedanken machten,
ob sie die Bücher Thomas Manns ihren Kunden überhaupt empfehlen sollten – eine direkte Folge der nationalen Kontroverse,
die sich nach Ende des Zweiten Weltkrieges um Thomas Mann
entsponnen hatte. Die führende Presse der Bundesrepublik war
ohnehin (mit Ausnahme kritischer Betrachtungen zu seiner
»milden« Beurteilung der kommunistischen Gefahr) eher auf
seiner Seite, und in gewissem Sinne konnte man in Thomas
Manns schönem Vortrag seiner letzten Jahre, dem »Versuch über
Schiller«, auch die gütige Aussöhnung mit der Nation sehen, die
ihm ein halbes Leben lang so viel Sorgen und Leid bereitet hatte
und über deren Irrweg und Verblendung er mehr als einmal in
hellen Zorn und tiefe persönliche Verzweiflung geraten war. In
dem Maße also, wie unsere Zeit sich fortschreitend von den ge-

schichtlichen Anlässen entfernt, die das Verhältnis vieler Deutscher zu Thomas Mann, einem der größten Dichter ihrer Nation, so unglücklich und gespannt hatten werden lassen, wird auch der politische Schriftsteller hinter den Romancier zurücktreten, und die Einstellung zu Thomas Mann wird wieder eindeutiger durch das literarische Geschmacksurteil geprägt werden. Jahrzehntelang war das Verhältnis der Deutschen zu Thomas Mann stärker durch das politische als das literarische Urteil bestimmt worden. Gewiß hat Thomas Mann diese Situation herbeiführen helfen, denn er war es ja schließlich, der unter Einsetzung seines literarischen Ruhmes Politik trieb, wobei wenige merkten, daß diese Politik mit literarischen Mitteln für Thomas Manns Vorstellung von der Aufgabe des Schriftstellers eine durchaus natürliche Sache war. Heute sind aber auch die Voraussetzungen günstiger, unter denen Rolle und Bedeutung Thomas Manns als politischer Schriftsteller angemessen gewürdigt werden können. Die wachsende Distanz zur Vergangenheit mag jene Distanz zusehends aufheben, die Thomas Manns politisches Engagement zwischen ihn und viele Deutsche gelegt hat. Befreit aus den Wirren einer gerade das deutsche Volk aufwühlenden hektischen Geschichte, vermögen wir heute, sofern unsere politischen Gedanken nicht schon immer den Ideen Thomas Manns verwandt waren, sein geistiges und politisches Wollen in die historischen Zusammenhänge einzuordnen und besser zu begreifen. Aus der Geschichte eines weitgehend antagonistischen Verhältnisses zwischen Thomas Mann und den Deutschen vermag mit der Zeit ein gelasseneres, unpolemisches Verhältnis zu werden.

Thomas Manns Rolle als politischer Schriftsteller ehrt ihn, wie sie Deutschland ehrt, dem seine politisch literarische Arbeit vorwiegend gewidmet war. Die Bezeichnung, die Thomas Mann dem von ihm hochverehrten amerikanischen Präsidenten Roosevelt verlieh, gilt mit vielleicht noch größerem Recht für ihn selber: Thomas Mann war als politischer Schriftsteller ein »Politiker des Guten«.

Anmerkungen

Zu Thomas Manns Gesamtwerk stand mir die 1960 im S. Fischer Verlag, Frankfurt/M., erschienene zwölfbändige Ausgabe der Gesammelten Werke zur Verfügung, die 1974 um einen dreizehnten Band erweitert worden ist. Ich zitiere im wesentlichen aus dieser Ausgabe durch Nennung der römisch geschriebenen Nummer des Bandes, gefolgt von der Seitenzahl. Meine Anmerkungen beziehen sich fast durchweg auf die Belegstellen. Dem Zürcher Thomas-Mann-Archiv schulde ich Dank für das ergiebige Zeitungsarchiv, aus dem ich für meine Arbeit großen Nutzen habe ziehen können.

Auf eine Auseinandersetzung mit der einschlägigen Literatur über Thomas Mann habe ich mit Absicht verzichtet. Diese ist längst uferlos, und ich halte wenig von gelehrten Scharmützeln in und mit Fußnoten.

Als ich meinen Text verfaßte, waren die Quellen zu Thomas Manns Werk noch nicht so vollständig wie heute. Das gilt insbesondere für die »Tagebücher« in zehn Bänden, die zwischen 1977 und 1995 erschienen sind, ferner für die Auswahl der »Briefe« in drei Bänden, die Erika Mann 1962 bis 1965 herausgegeben hat. Hans Bürgin und Hans-Otto Mayer haben 1965 »Eine Chronik seines Lebens« herausgebracht, die den Ablauf des Lebens von Thomas Mann Jahr für Jahr, ja Tag für Tag akribisch nachzeichnet. Anschaulich und ergiebig ist der große Bildband »Thomas Mann. Ein Leben in Bildern«, den Hans Wysling und Yvonne Schmidlin 1994 in Zürich herausgegeben haben.

Ein zuverlässiges Verzeichnis aller bis heute auffindbaren Quellen für die Thomas Mann-Forschung findet sich in der neuen Biographie von Hermann Kurzke, »Thomas Mann. Das Leben als Kunstwerk«, München 1999, S. 651 ff. Ich erwähne diesen Titel, weil er unter den schon vielzähligen biographischen Versuchen nach meinem Urteil der gelungenste ist. Der »Politiker« Thomas Mann, dem mein Interesse galt, ist in dieser hervorragenden Biographie ganz selbstverständlich und mit sicherem Urteil in die Darstellung dieses außerordentlichen Lebens einbezogen. Von Kurzke zusammen mit Stephan Stachorski stammt auch die textkritische Ausgabe der Thomas Mannschen Essays in sechs Bänden, einschließlich der politischen (Frankfurt/M., 1993–1997).

1 1915 in Berlin erschienen in dem Bändchen »Friedrich und die Große Koalition«.

2 Ebenda, 11.

3 Ebenda, 14.

4 Ebenda.

5 Ebenda.

6 »Friedrich und die Große Koalition«, a.a.O., S. 6, auch Gesammelte Werke X, S. 76ff.

7 Ebenda, 91.

8 Ebenda, 16.

9 Ebenda, 52.

10 Ebenda, 2.

11 Ebenda.

12 »Briefe an Paul Amann, 1915–1952«, Lübeck 1959, Brief vom 25. 3. 1915.

13 Ebenda.

14 Heinrich Mann: »Essays«.

15 A. Kantorowicz: »Heinrich und Thomas Mann. Die persönlichen, literarischen und weltanschaulichen Beziehungen der Brüder«, Berlin 1956, S. 110–114.

16 X, 521ff.

17 »Betrachtungen eines Unpolitischen«, VII, 193.

18 Ebenda, 194.

19 »Briefe an Paul Amann«, Brief vom 21. 2. 1915.

20 Dazu gehört auch ein Brief an das »Svenska Dagbladet«, ebenfalls aufgenommen in die unter 1 zitierte Sammlung.

21 Vorrede der »Betrachtungen«, XII, 39–40.

22 Die »Betrachtungen« haben als Motto u. a. einen Vers Molières: »Que diable allait-il-faire dans cette galère?«

23 Edgar Jungs wichtigstes Buch, »Die Herrschaft der Minderwertigen«, 1. Aufl. 1927, enthält eine positive Würdigung des Thomas Mann der »Betrachtungen«.

24 »Hamburger Akademische Rundschau«, 1948, H. 11/12, S. 588.

25 M. Havenstein: »Thomas Mann«, Berlin 1927, S. 233.

26 XI, 819.

27 Ebenda, 821.

28 Ebenda, 824.

29 Ebenda, 829.

30 »Gewissen« vom 23. 10. 1922.

31 Zit. in »Gewissen« vom 15. 7. 1928.

32 »Der Tag«, Berlin, vom 15. 10. 1922.

33 »München-Augsburger Abendzeitung« vom 28. 11. 1922.

34 »Deutsche Allgemeine Zeitung« vom 4. 12. 1924.

35 »Vossische Zeitung« vom 2. 11. 1922.

36 Kantorowicz, a.a.O., Schreiben Thomas' an Heinrich vom 20. 10. 1922.

37 Th. Mann und die Republik,»Luxemburger Zeitung« vom 3. 1. 1923.

38 »Von Deutscher Republik«, Vorwort, XI. 809 u. 810.

39 »Vossische Zeitung« 9. 1. 29 (Ein Winterspaziergang mit Th. Mann).

40 Nachdruck »Münchner Sonntagszeitung«, Juli 1920.

41 XI, 3–14.

42 »Von Deutscher Republik«, XI, 852.

43 Interview mit dem »Neuen 8-Uhr-Blatt«, Wien, vom 29. 3. 1923.

44 XII, 639.

45 Bezeichnend dafür schon die Wahl des zweiten Mottos der »Betrachtungen« aus Goethes »Tasso«: »Vergleiche Dich, erkenne, was du bist!«

46 Rekapituliert in »Süddeutsche Monatshefte«, München, Juli 1928.

47 Ebenda.

48 Ebenda.

49 Vgl. »Fränkischer Kurier«, 1928, Nr. 213.

50 Lt. »Berliner Tageblatt« vom 1. 8. 1928.

51 A.a.O.

52 »Fränkischer Kurier«, 1928, Nr. 240.

53 XII, 12.

54 »Thomas Mann an Ernst Bertram, Briefe aus den Jahren 1910–1955«, Pfullingen 1960, S. 127.

55 »Tischrede in Amsterdam«, XI, 354.

56 »Berliner Börsen-Courier« vom 30. X. 1925.

57 »Im Warschauer Pen-Club«, XI, 407.

58 Friedrich Georg Jünger: »Der Aufmarsch des Nationalismus«, Leipzig 1926.

59 Zit. in »Weltbühne« vom 6. 2. 1932.

60 »München als Kulturzentrum«, X, 225.

61 Ebenda.

62 Z. B.: »Deutsches Volkstum«, »Die Tat«, »Das Gewissen«; die gesamte deutschnationale (Hugenberg-)Presse.

63 F. G. Jünger im Berliner »Tag« vom 7. 3. 1928.

64 Ebenda.

65 XI, 876f.

66 »Zu Lessings Gedächtnis«, X, 250.

67 »Die Stellung Freuds in der modernen Geistesgeschichte«, X, 261/62.

68 Edgar Jung, im Nachwort zu »Deutsche über Deutschland«, München 1932, S. 380.

69 Gustav (Hillard) Steimbömer: »Betrachtungen über den Konservatismus«, in »Deutsches Volkstum«, Jan. 1932, S. 26.

70 Ernst Jünger: »Der Kampf um das Reich«, S. 9.

71 »Deutsche Zeitung« vom 18. 10. 1930.

72 Datiert vom 29. 3. 1927 (nicht veröffentlicht).

73 »Kölnische Zeitung«, zit. in »Deutsches Volkstum«, 1928, S. 801.

74 »Die Stellung Freuds ...« X, 267.

75 »Die Wiedergeburt der Anständigkeit«, XII, 663.

76 In der gleichnamigen Aufsatzsammlung, hrsg. von H. Baron, Tübingen 1925. Th. Mann hat den dort ausgebreiteten Ideen Troeltschs an mehreren Stellen ausdrücklich zugestimmt.

77 »Thomas Mann an Ernst Bertram«, S. 121.

78 Ebenda, S. 117.

79 »Deutsche Ansprache«, XI, 875.

80 »Berliner Nachtausgabe« vom 24. 2. 1928.

81 A.a.O.

82 Jg. 1928. H. 13.

83 »Deutsches Volkstum« 1927, S. 801.

84 »Leipziger Zeitung« vom 13. 6. 1930.

85 In der »Literarischen Welt«, 1. Märzheft als Entgegnung auf die nationalistischen Angriffe gegen sein der Pariser Zeitschrift »Comedia« vom 31. 1. 1928 gewährtes Interview.

86 »Die Tat«, Aug. 1928, S. 398.

87 »Deutsche Zeitung« vom 19. 6. 1930: »Paneuropa und Thomas Mann«.

88 Emil Ermatinger: »Krisen und Probleme der neueren deutschen Dichtung«, Zürich–Leipzig–Wien, 1928, S. 73 f.

89 »Deutsches Volkstum«, Juni 1933, S. 480–482.

90 »Rede über Lessing«, IX.

91 XII, 639ff.

92 Ebenda, 648.

93 Ebenda, 649.

94 XI, 878.

95 »Bekenntnis zum Sozialismus«, XII, 681.

96 XI, 896.

97 In einem Interview mit dem »Lübecker Volksboten« vom 5. 12. 28.

98 »Maß und Wert«, Vorwort zum 1. Jg., XII, 807.

99 Ebenda, 809.

100 Ebenda, 805.
101 »Wiedergeburt der Anständigkeit«, XII, 661.
102 Z. B. Ulrich Sonnemann in »Frankfurter Hefte«, Juli 48, S. 625ff. oder
    W. Muschg: »Tragische Literaturgeschichte«, Bern 1953, S. 426.
103 XII, 802.
104 Zur Information über diese Geistesströmung vgl. meinen Aufsatz:
    »Antidemokratisches Denken in der Weimarer Republik«, »Viertel-
    jahrshefte für Zeitgeschichte« 5, (1957) S. 42ff.
105 Golo Mann: »Deutsche Geschichte des 19. und 20. Jahrhunderts«,
    Frankfurt a. M. 1960, S. 704.
106 Siehe Anm. 102.
107 IX, 363ff.
108 »Deutsche Rundschau«, Juni 1933. Dazu die »Fränkische Tageszei-
    tung« vom 2. 9. 1933: »Guten Morgen Herr Fechter! Ausgeschlafen?
    Wir leben in der nationalsozialistischen Revolution! Für sie ist der
    ›Fall Thomas Mann‹ schon längst erledigt, und alle Versuche, ihn wie-
    der aufs Tapet zu bringen, können bei uns nur ein vergnügtes Lächeln
    hervorzaubern!«
109 XII, 684ff.
110 »Neue Zeitung« vom 8. 8. 1947.
111 »Münchner Neueste Nachrichten« vom 16./17. 4. 1933: »Protest der
    Richard Wagner-Stadt München«.
112 Z. B. die Stelle: »Die Passion für Wagners zaubervolles Werk begleitet
    mein Leben, seit ich seiner zuerst gewahr wurde … Was ich ihm als Ge-
    nießender und Lernender verdanke, kann ich nie vergessen, nie die
    Stunden tiefen, einsamen Glücks inmitten der Theatermenge …«, IX,
    372.
113 Aus einem Brief Thomas Manns über Ernst Bertram, a.a.O., S. 195.
114 Ebenda, S. 178.
115 Frank Thieß in seinem Art. »Innere Emigration«, Sonderausgabe des
    Druckschriften-Vertriebsdienstes, Dortmund, 1945.
116 Im Brief an die Universität Bonn heißt es: »Ich bin weit eher zum Re-
    präsentanten geboren als zum Märtyrer.« Heinz Politzer verwendet
    dieses Merkmal der Repräsentanz zu einem kritisch-abwertenden
    Leitmotiv des politischen Schriftstellers Thomas Mann. In: »Th. Mann
    und die Forderung des Tages«, »Monatshefte für dt. Unterricht, dt.
    Sprache und dt. Literatur USA«, Jg. 1954, S. 65ff.
117 »An Eduard Korrodi«, XI, 789.
118 Ebenda.
119 »Warum ich nicht nach Deutschland zurückgehe«, XII, 957.

120 XII, 766ff.
121 »Briefe an Karl Kerényi«, XI, 637/38.
122 L. Marcuse: »Mein zwanzigstes Jahrhundert«, München 1960.
123 »An das Nobel-Friedenspreis-Comité, Oslo«, XII, 779ff.
124 »Briefwechsel mit Bonn«, XII, 785ff.
125 XI, 910ff.
126 XII, 829ff.
127 Ansprache vor den Redakteuren der liberalen amerikanischen Zeit-
     schrift »Nation«, zit. nach einem Manuskript aus dem Thomas-
     Mann-Archiv (Sign. Mp V 73 a): »Als ich zum ersten Mal das Weiße
     Haus verließ, wußte ich, daß Hitler verloren sei.«
128 XII, 835ff.
129 XII, 790.
130 »Dieser Krieg«, XII, 868.
131 Ebenda, 897.
132 »An einen jungen Japaner«, XII, 970.
133 Ein Erasmus-Zitat, ebenda.
134 Anläßlich einer Umfrage über Kolonialpolitik in: »Europäische Ge-
     spräche«, 1927. H. 12, S. 652f.: »Die Idee der Freiheit u. Selbstbestim-
     mung ist überall erwacht und wird sich nicht wieder zur Ruhe legen.
     Ich glaube, daß die Ereignisse viele Deutsche gelehrt haben, unsere
     Freiheit von kolonialem Gepäck als einen Vorteil zu empfinden.«
135 »Dieser Friede«, XII, 841.
136 »Vom kommenden Sieg der Demokratie«, XI, 936.
137 XI, 983ff.
138 Ebenda, 1024.
139 Ebenda, 1121f.
140 »Das Ende«, XII, 946.
141 Ebenda, 949.
142 Vgl. die Formulierung Thomas Manns über E. Bertram: »Er sah Rosen
     und Marmor, wo ich nichts sah als Teufelsdreck, Giftfusel fürs Volk,
     eingeborene Mordlust und das sichere Verderben Deutschlands und
     Europas.« »Thomas Mann an Ernst Bertram«, S. 195.
143 »Das Ende«, XII, 950.
144 XI, 1126ff.
145 Ebenda, 1128.
146 Helmuth Pleßner: »Die verspätete Nation. Über die politische Ver-
     führbarkeit bürgerlichen Geistes«, Stuttgart 1959.
147 XI, 1148.
148 Sie ist vor allem im Ausland lange Zeit herrschend gewesen.

149 Siehe Anm. 115.
150 Ebenda.
151 »Warum ich nicht nach Deutschland zurückgehe«, XII, 953ff.
152 »Süddeutsche Zeitung«, Weihnachtsnummer 1945.
153 Siehe Anm. 115.
154 Ebenda.
155 Ebenda.
156 XI, 238.
157 »Neue Zeitung«, 19. 1. 1946.
158 »Ansprache im Goethejahr 1949«, XI, 481ff.
159 »Weserkurier«, Bremen, 28. 5. 1947.
160 »Briefe in die Nacht«, XI, 793ff.
161 Siehe Anm. 110.
162 Vgl. »Badische Zeitung« vom 15. 8. 1947.
163 Ebenda.
164 XI, 488.
165 »Frankfurter Neue Presse« vom 30. 7. 1949.
166 Lt. Zeitungsnotiz von Ende Juli 1949, UP-Meldung.
167 »Reisebericht«, XI, 507/8.
168 dpd-Bericht vom 1. August 1949.
169 »Neue Zeitung«, vom 13. 10. 1949, mit der Entgegnung von Otto Stolz:
     »Den Schein für die Wirklichkeit genommen«.
170 Angesichts der zahlreichen Äußerungen dieser Art hatten die marxi-
     stischen Literaturkritiker es nicht besonders schwer, Thomas Mann
     trotz seiner immer eingestandenen Bürgerlichkeit ins fortschrittliche
     Lager zu zählen. Wir verdanken insbesondere Georg Lukács und Hans
     Mayer bedeutsame literarische Studien über den Dichter.
171 Vgl. Kap. 10.
172 »An einen jungen Japaner«, XII, 970.
173 Thomas-Mann-Archiv, Zürich (Sign. Mp VI 91a).
174 XII, 970.
175 »Bekenntnis zur westlichen Welt«, XII, 971ff.
176 Vgl.: »Comprendre«, XII, 973 ff.
177 Korrespondentenmeldung der »Frankfurter Allgemeinen Zeitung«
     vom 4. 9. 1955, Heuss: »... doch ich sage es ganz offen, ich habe ihm
     dazu geraten – weil wir die Einheit bewahren wollen und müssen.«

Personenregister

Bildnachweis:

S. 23: Titelblatt der Originalausgabe der »Betrachtungen eines Unpolitischen«, Berlin 1918

S. 61: Werner Otto, »Mann über Bord. Zu Thomas Manns Vortrag: Von deutscher Republik«, in: »Das Gewissen«, Potsdam, 23. Oktober 1922

S. 123: Titelblatt der Buchausgabe von Thomas Manns Rundfunkansprachen 1940–1945

S. 159: »Deutschland und die Deutschen«, ein Vortrag, den Thomas Mann im Juni 1945 in der Library of Congress in Washington hielt.

S. 191: Karikatur von H. U. Steger aus Anlaß der Verleihung des Goethe-Nationalpreises 1949 an Thomas Mann in Weimar, in: »Weltwoche«, Zürich, 10. Juni 1949